Oetinger

Kirsten Boie
Eine Welt aus Büchern

Kirsten Boie, 1950 in Hamburg geboren, promovierte Literaturwissenschaftlerin, ist eine der renommiertesten deutschen Kinder- und Jugendbuchautorinnen. Für ihr Gesamtwerk wurde sie mit dem Sonderpreis des Deutschen Jugendliteraturpreises geehrt. Kirsten Boie hat viele beliebte Kinderbuchfiguren für alle Altersgruppen kreiert und engagiert sich stark auf dem Gebiet der Leseförderung. Nicht nur »Paule ist ein Glücksgriff« - so der Titel ihres Debütromans – sondern auch „Kirsten Boie ist ein Glücksfall für die deutsche Kinderbuch-Literatur" (NDR).

Katrin Engelking, 1970 in Bückeburg geboren, studierte an der Fachhochschule für Gestaltung in Hamburg und arbeitet seit 1994 als freie Illustratorin. In Bildern voller Farben- und Lebensfreude macht sie Kirsten Boies »Kinder aus dem Möwenweg« sichtbar, interpretiert Klassiker von Astrid Lindgren und erzählt eigene Geschichten - mit großem Erfolg und zum Vergnügen ihrer Leser und Leserinnen!

Kirsten Boie

Sommer
im Möwenweg

Bilder von Katrin Engelking

Verlag Friedrich Oetinger · Hamburg

Alle Bücher über die Kinder aus dem Möwenweg

Wir Kinder aus dem Möwenweg
Sommer im Möwenweg
Geburtstag im Möwenweg
Weihnachten im Möwenweg
Ein neues Jahr im Möwenweg
Geheimnis im Möwenweg
Ostern im Möwenweg

Die Geschichten über die Kinder aus dem Möwenweg
sind auch als Hörbuch erschienen.

© Verlag Friedrich Oetinger GmbH, Hamburg 2002
Alle Rechte vorbehalten
Einband und farbige Illustrationen von Katrin Engelking
Satz: UMP GmbH, Hamburg
Reproduktion: Domino GmbH, Lübeck
Druck und Bindung: CPI – Clausen & Bosse, Leck
Printed 2015
ISBN 978-3-7891-3144-8

www.kirsten-boie.de
www.oetinger.de

Inhalt

1

Wir Kinder aus dem Möwenweg

Ich heiße Tara und bin acht Jahre alt. Aber in vier Monaten werde ich schon neun, im November. Also bin ich eigentlich sogar schon mehr als achteinhalb.
Wir wohnen im Möwenweg, Mama, Papa und ich. Und natürlich Petja und Maus, das sind meine Brüder. Petja ist zehn, darum will er leider immer bestimmen. Und Maus geht noch

MAUS   ICH

PETJA

nicht mal in die Schule. Also, nur mit Petja und Maus wäre es bestimmt nicht so schön bei uns.

Aber zum Glück wohnen in unserer Reihe auch noch Tieneke, die ist meine beste Freundin, und Fritzi und Jul. Die sind Schwestern und heißen eigentlich Friederike und Julia, das

TIENEKE

kann man sich ja schon denken, weil sie Mädchen sind. Tieneke ist acht, genau wie ich, und Fritzi ist erst sieben. Aber Jul ist schon zehn.

»Für die Kinder hätten wir es gar nicht besser treffen können«, hat Mama am Telefon zu ihrer besten Freundin gesagt, als wir gerade erst eingezogen waren. Das war im letzten Winter, und da wussten wir ja noch nicht mal, *wie* gut wir es getroffen hatten.

FRITZI   JUL

Weil wir da noch nicht im Zelt geschlafen und noch kein Zaunfest und kein Rasenfest und kein Sommer-Garagenplatz-Fest gefeiert hatten. Und sonst war auch noch überhaupt nichts gewesen.

Aber jetzt wissen wir genau, dass wir es im Möwenweg am schönsten auf der ganzen Welt haben. Das findet Tieneke auch. Unsere Reihe hat sechs Häuser, ich mal das jetzt mal auf:

A   B   C

Unser Haus ist Nummer e, das ist vielleicht nicht ganz so gut.
Weil neben uns in Nummer d nämlich Voisins wohnen, die ha-
ben keine Kinder und sind auch nicht so ganz richtig nett. Aber
Mama sagt, irgendeinen schwierigen Nachbarn hat man über-
all und *so* schlimm sind Voisins nun wirklich nicht.
Das finde ich aber doch. Immer müssen sie gleich meckern.
Auf der anderen Seite (im Endhaus) wohnen Oma und Opa
Kleefeld, und die sind besser. (Natürlich weiß ich, dass man ei-
gentlich *Frau* Kleefeld sagen müsste und *Herr* Kleefeld, aber

D   E   F

Oma und Opa Kleefeld wollen das gar nicht.) Manchmal laden sie uns ein, zum Pfannkuchen-Essen zum Beispiel, oder wir dürfen in ihrem Garten unter dem Rasensprenger duschen, wenn es heiß ist. Mit Kleefelds haben wir Glück, finde ich.
Neben Voisins wohnt meine beste Freundin Tieneke, und daneben wohnen Fritzi und Jul. Ich finde es nicht so gut, dass Tieneke neben Fritzi und Jul wohnt und nicht neben mir. Da können wir nicht einfach durch den Garten gehen, wenn wir spielen wollen, weil doch die schwierigen Voisins dazwischen

sind. Und die haben einen teuren Rollrasen, über den dürfen wir nicht laufen. Weil man lernen muss, fremdes Eigentum zu respektieren, sagt Frau Voisin.

Im anderen Endhaus wohnen Vincent und Laurin mit ihrer Mutter, das sind leider zwei Jungs. Zuerst hat Petja gesagt, dass sie zu jung für ihn sind, weil Laurin erst sieben ist und Vincent ist neun. Aber dann ist er mit Vincent in eine Klasse gekommen (und mit Jul auch), und jetzt spielen sie doch meistens zusammen. Das tun wir übrigens meistens alle. Außer wenn die Jungs blöde sind. Aber das sind sie zum Glück nicht so oft.

VINCENT   LAURIN

Darum möchte ich nie mehr vom Möwenweg wegziehen. In meinem ganzen Leben nicht.

2

Wir holen Tienekes Kaninchen

In den Sommerferien konnten wir nicht verreisen, weil wir doch gerade erst das Haus gekauft hatten, und so was ist teuer, sagt Papa. Aber zum Glück sind die anderen Kinder auch alle zu Hause geblieben, da hat es mir nichts ausgemacht. Man kann bei uns jeden Tag so viel machen.

An einem Montag hat Tieneke morgens bei mir geklingelt und gesagt, dass sie jetzt losgeht und ein Kaninchen kauft. Hat Tieneke es nicht gut? Sie hat gefragt, ob ich ihr beim Aussuchen helfe, und das wollte ich natürlich gerne.

Vor dem Haus haben Fritzi und Jul auf ihrer Pforte gesessen und geschaukelt, und da hat Tieneke gesagt, dass die beiden auch mitdürfen. Das fand ich ein bisschen schade. Weil ja eigentlich *ich* ihre beste Freundin bin, und darum ist es auch gerecht, wenn *ich* ihr bei wichtigen Sachen helfe. Das habe ich aber nicht gesagt, ich wollte nicht, dass Fritzi und Jul böse auf mich sind.

Tienekes Mutter hatte im Supermarkt am Anschlagbrett einen Zettel gesehen, auf dem »Junge Zwergkaninchen zu verschenken« stand. Und weil die Adresse bei uns in der Nähe war, sind wir zu Fuß gegangen.

Tieneke hatte eine leere Spielzeugkiste mit, in die wollte sie das Kaninchen auf dem Rückweg setzen, und ich habe schnell gefragt, ob ich ihr beim Tragen helfen darf. Tieneke hat gesagt, mal sehen.

Als wir bei der Hausnummer angekommen sind, die Tienekes Mutter sich aufgeschrieben hatte, war es ein ganz kleines altes Haus mit einem riesigen Garten. »Ich habe schon gewartet!«, hat eine mittelalte Frau in einer abgeschnittenen Jeans gesagt. Aber ganz freundlich. Tienekes Mutter hatte nämlich vorher angerufen und Bescheid gesagt, dass wir kommen.

Wir sind also zusammen um das Haus herumgegangen. Der Garten war eigentlich nur eine Wiese, auf der lauter dicke Obstbäume standen, und dazwischen sind Kaninchen herumgewuselt, in einem riesengroßen Gehege. Es war fast wie bei den Teletubbies.

»Nun guckt mal, welches euch gefällt«, hat die Frau gesagt. Sie hat Tienekes Mutter erzählt, dass eins der beiden Zwergkaninchen, die ihre Kinder zu Ostern gekriegt hatten, plötzlich doch kein Weibchen mehr war.

»Dabei hat uns das sogar der Tierarzt bestätigt!«, hat sie gesagt. »Aber Sie sehen ja, was passiert ist.«

Und das haben wir wirklich gesehen. Das Gehege war aus schönem weißen Draht und sah fast so vornehm aus wie der Zaun von Voisins. Und in einer Ecke haben sechs winzig kleine Kaninchen gehockt, die hatten schwarz-weißes Fell und lange Hasenohren und haben ganz zufrieden das Gras abgefressen.

»Süß!«, hat Jul gerufen und sich vor das Gehege gekniet.

Ich fand die Kaninchen auch süß. Ich hatte gar nicht gewusst, dass Kaninchen zu Anfang so winzig sind! Sie hätten wirklich leicht auf meine Hand gepasst. Und so groß ist die ja nicht.

Tieneke durfte in das Gehege steigen und sich aussuchen, welches Kaninchen sie wollte. Es gab ein schwarzes mit einem weißen Fleck auf der Nase und drei weißen Pfoten und ein ganz weißes mit kleinen schwarzen Punkten. Die anderen hatten ziemlich viel Schwarz und Weiß durcheinander.

Ich habe geflüstert, dass Tieneke das ganz weiße nehmen soll, aber da ist sie böse geworden. Sie hat gesagt, es ist ja wohl ihr Kaninchen, da kann sie ja wohl alleine entscheiden.

Schließlich hat sie gesagt, dass sie entweder das ganz schwarze will oder das ganz weiße, sie muss mal eine Minute überlegen.

»Ich will mich ja nicht einmischen«, hat die Frau mit der abgeschnittenen Jeans gesagt, »aber für Kaninchen ist es eigentlich nicht so gut, wenn sie alleine leben müssen. Die haben gerne Gesellschaft. Am liebsten würde ich sie sowieso zu zweit weggeben.«

Und man stelle sich vor, das hat Tienekes Mutter erlaubt! Da hat die Frau also das weiße *und* das schwarze Kaninchen in Tienekes Spielzeugkiste gesetzt und noch ein paar Karotten dazugelegt, damit sie sich wohl fühlen sollten. Und Tienekes Mutter hat ihr eine Plastiktüte mit einer Flasche Wein gegeben. Weil die Frau doch kein Geld für die Kaninchen haben wollte.

Als wir schon fast an der Pforte waren, ist plötzlich ein riesengroßes schwarzes Kaninchen aus einem Loch im Boden gehoppelt gekommen und hat sich ganz zahm vor uns hingehockt. Dabei hat es uns so lieb angeguckt.

»Meine Güte!«, hat Tienekes Mutter erschrocken gesagt. »Ich hab ja gar nicht gewusst, dass es so riesige Kaninchen gibt.«
»Das ist unser alter Stallhase«, hat die Frau gesagt. »Der lebt nicht mit den anderen zusammen. Der hat sich unter dem Garten einen Bau gegraben.«
»Na hoffentlich«, hat Tienekes Mutter gesagt.

Das hab ich aber nicht nett gefunden. Ich glaube, der Stallhase wollte auch gerne Freunde haben. Und mit den anderen Kaninchen zusammen spielen.
Auf dem Nachhauseweg haben wir uns zuerst ein bisschen gestritten, wer die Kiste tragen durfte, aber dann hat Tieneke ge-

sagt, auf der einen Seite darf sie die ganze Zeit, weil es ja ihre Kaninchen sind. Und wir anderen können uns auf der anderen Seite abwechseln. Sie sagt immer, wann die Nächste darf.

Bis nach Hause bin ich dreimal drangekommen und Jul und Fritzi nur zweimal. Da war Jul ziemlich böse. Aber Tieneke hat gesagt, sie kann ja nichts dafür, dass der Weg so kurz ist.

Wir durften alle mit in Tienekes Zimmer gehen, da sollten die Kaninchen in der Kiste wohnen, bis draußen im Garten der Stall und das Gehege fertig waren. Aber Tieneke hat uns nicht erlaubt, dass wir die beiden auch mal auf den Arm nehmen. Sie hat gesagt, dass es ihre Kaninchen sind, und darum müssen sie sich erst mal an *sie* gewöhnen. Wenn wir sie jetzt auch nehmen, denken sie nachher noch, dass *wir* ihre Mutter sind.

»Du tickst ja nicht richtig!«, hat Jul gesagt. »Sehen wir aus wie ein Kaninchen? Das glaubst du ja wohl selber nicht, dass die denken würden, dass wir ihre Mutter sind!«

Aber so hatte Tieneke es ja natürlich gar nicht gemeint. Und bestimmt hat Jul das auch gewusst. Sie wollte Tieneke nur ärgern.

»Sie meint ja gar nicht, dass wir ihre Mutter sind!«, hab ich darum gesagt. »Sie meint *Frauchen*, oder, Tieneke?«

Aber da hat Jul sich gegen die Stirn geschlagen und gesagt, dass sie jetzt geht, weil sie es hier mit lauter Idioten zu tun hat.

»Das sind ja wohl keine Hunde!«, hat sie gesagt. »Bei *Hunden* heißt das nur Frauchen!«

»Und bei Kaninchen!«, hab ich böse gesagt. »Du weißt das ja gar nicht!«

Aber da war Jul schon gegangen. Und Fritzi ist natürlich wieder hinterhergelaufen. Das tut sie meistens.

Da waren Tieneke und ich mit den Kaninchen alleine, und Tieneke hat gesagt, Gott sei Dank. Jetzt können wir uns ganz in Ruhe Namen überlegen. Da hätte Jul sich bestimmt nur immer eingemischt.

Wir haben einen Zettel genommen und eine Liste gemacht. Ich durfte schreiben, weil Tieneke sich ja um die Kaninchen kümmern musste.

Es ist wirklich komisch, wie viele gute Kaninchennamen uns eingefallen sind. Wir hatten Schwarzfellchen und Weißfellchen und Schwarzpfötchen und Weißpfötchen und Purzel und Wurzel und Puschel und Wuschel und Zwergenhase. Zwergenhase hab ich vorgeschlagen, und ich finde, es klingt so lieb und ein kleines bisschen verzaubert.

Tieneke wollte aber nicht, weil es nur ein Name für *ein* Kaninchen war. Und sie hatte ja zwei.

Ich hab gesagt, sie kann das andere dann ja Riesenhase nennen, aber sie hat mir nur einen Vogel gezeigt.

Als Tienekes Vater nach Hause gekommen ist, haben wir ihn gefragt, und er hat gesagt, er würde die beiden Django und Rambo nennen. Und Tienekes Mutter irgendwas mit Beethoven. So heißt ein Hund in einem Film.

Da haben wir gewusst, dass es nichts nützt, wenn man sie fragt, weil sie überhaupt nichts davon verstehen, wie Kaninchen heißen müssen.

Schließlich hat Tieneke gesagt, das schwarze heißt Puschelchen und das weiße Wuschelchen. Und das hab ich auch gut gefunden.

Zu Hause hab ich beim Abendbrot erzählt, dass Tieneke zwei kleine Zwergkaninchen gekriegt hat und dass sie Puschelchen und Wuschelchen heißen, und Petja hat gesagt, was das denn wohl für bescheuerte Namen sind.

»Puschel-*chen* und Wuschel-*chen*!«, hat er mit so einer ganz hohen, spitzen Stimme gesagt. »Ach-*chen* je-*chen*, wie-*chen* süß-*chen*!«

Maus ist vor Lachen fast vom Stuhl gefallen, aber Mama hat gesagt, sie findet, Puschelchen und Wuschelchen sind zwei sehr schöne Kaninchennamen.

Da hab ich gedacht, dass ich es ja wenigstens mal versuchen kann, und hab gefragt, ob ich vielleicht auch ein Kaninchen darf. Nur ein einziges, das kann dann ja mit Puschelchen und Wuschelchen spielen. Schließlich hat die Frau noch zwei Babykaninchen über.

Aber Mama hat gesagt, das kommt leider nicht in Frage. Bei Tieneke ist es was anderes, die ist schließlich ein Einzelkind, und da ist es gut, wenn sie wenigstens ein Tier zum Spielen hat. Aber ich habe ja Petja und Maus.

Da bin ich *richtig* böse geworden und in mein Zimmer gegangen. Als ob Petja und Maus so gut wären wie ein Kaninchen! Das kann Mama ja wohl nicht wirklich meinen. Ich wäre tausendmal lieber ein Einzelkind, wenn ich dafür ein Kaninchen haben dürfte.

Ich finde, Erwachsene verstehen manchmal nicht so viel vom Leben. Nicht mal Mama.

3

Wir bauen einen Kaninchenstall und finden einen toten Vogel

Am nächsten Morgen hat Fritzi bei mir geklingelt und gesagt, ihr Vater baut einen Käfig für Puschelchen und Wuschelchen, und wenn ich will, darf ich helfen. Das wollte ich natürlich.

Ich bin also auf den Garagenplatz gegangen, da standen schon Tieneke und Jul, und wir waren auch nicht mehr verkracht. Das sind wir zum Glück nie so besonders lange.

Der Vater von Fritzi und Jul heißt Michael und kennt sich von allen Vätern am besten mit Handwerkssachen aus. Er hatte schon Bretter besorgt und Schrauben und Nägel, und wir durften beim Ausmessen helfen und beim Festhalten und sogar beim Sägen. Das war aber ziemlich anstrengend.

Als wir schon fast fertig waren, sind die Jungs auch noch gekommen und wollten mitmachen. Michael hat gesagt, nur wenn Tieneke es erlaubt. Schließlich sind es ihre Kaninchen und ihr Käfig.

Tieneke hat gesagt, dass sie dürfen. Wir hatten sowieso keine so dolle Lust mehr. Fritzi hatte einen Splitter im Finger, und ich hatte sogar eine Blase. Vom Sägen. Michael hat gesagt, das gehört dazu, ein Handwerker ohne Schrunden ist gar kein richtiger Handwerker.

Da war ich fast ein bisschen stolz, dass ich eine Schrunde hatte. Weil es auch so ein besonderes Wort ist.

Als der Stall fertig war, haben wir ihn ganz hinten am Zaun in Tienekes Garten aufgestellt. Dann haben wir aus Leisten und Kaninchendraht noch Teile zum Zusammenstecken für ein Gehege gebaut. Schließlich sollen Puschelchen und Wuschelchen nicht immer nur in ihrem Haus hocken müssen. Immer wenn es nicht regnet, dürfen sie auch draußen sein und ihre schöne Freiheit genießen, hat Tieneke gesagt. Ihre kleinen Kaninchen sollen es ja gut haben bei ihr.

Als das Gehege fertig war, haben wir die Spielzeugkiste mit Puschelchen und Wuschelchen in den Garten getragen. Gerade als

wir sie in ihr neues Zuhause setzen wollten, hat Vincent »Stopp!« gerufen. Er hat gesagt, auf ein neues Haus muss man mit Champagner anstoßen. Das hat seine Mutter auch getan, als sie in den Möwenweg gezogen sind.

Tieneke hatte aber keinen Champagner, und ich weiß auch gar nicht, ob ich den mag. Vincent hat gesagt, zur Not geht auch Cola, und da haben wir Cola aus Tienekes Keller geholt und dann haben wir ihre Mutter gefragt, ob wir die Sektgläser haben dürfen. Wenn man mit den alten Senfgläsern anstößt, aus denen wir sonst immer bei Tieneke trinken, ist es irgendwie nicht so feierlich. Sowieso sind die Sesamstraßenbilder in der Spülmaschine schon fast abgewaschen.

Tienekes Mutter hat gesagt, dass wir ausnahmsweise dürfen, wenn wir versprechen, dass wir ganz, ganz vorsichtig sind. Die Sektgläser hat sie zur Hochzeit gekriegt, und sie waren sehr teuer.

Wir sind aber ja keine Babys mehr, dass sie uns so was erklären muss. Nur bei Maus war ich mir da nicht so sicher, er hat aber geschrien, als Tieneke ihm ein Senfglas geben wollte.

Wir haben uns also alle vor das Gehege gestellt mit einem Sektglas in der Hand, und Tieneke und ich haben mit der anderen Hand auch noch die Spielzeugkiste gehalten. Vincent hat gesagt, jetzt muss einer eine Rede halten. Es ist aber niemandem eine eingefallen, nicht mal Petja. Darum haben wir nur ganz vorsichtig mit unseren Gläsern angestoßen, und dann haben wir die Cola ausgetrunken.

»Was für ein köstlicher Champagner, meine Herren!«, hat Petja gesagt. »Bei Ihnen ist aber auch immer alles vom Feinsten.«

Da hätte er lieber eine Rede halten sollen.

Dann hat Tieneke die beiden Kaninchen ins Gehege gesetzt, und sie haben ganz erschrocken ausgesehen und sich nicht vom Fleck gerührt.

Mir ist eingefallen, dass man ja »Viel Glück im neuen Heim!« sagt, wenn jemand umzieht. Ich hab aber gedacht, bestimmt lacht Petja mich aus, wenn ich das sage. Darum hab ich es nur in Gedanken geflüstert.

Fritzi und Jul und Tieneke und ich haben uns vor das Gehege gesetzt und zugeguckt, wie Puschelchen und Wuschelchen angefangen haben, den Rasen abzufressen. Man kann gar nicht glauben, wie schnell sie mit ihren kleinen Schnauzen mümmeln können.

»Jetzt braucht ihr bestimmt keinen Rasenmäher mehr«, hab ich gesagt. Und Tieneke hat gesagt, oh ja, sie können das Gehege ja jeden Tag woanders aufstellen. Dann ist nachher der ganze Rasen kurz gefressen. Kaninchen sind wirklich nützliche Tiere.

Aber Petja hat gesagt, er findet so kleine Kaninchen langweilig.

Er kauft sich später mal einen großen gefährlichen Hund oder vielleicht einen Affen. Das hat er mal im Fernsehen gesehen. Jedenfalls will er lieber ein wildes Tier.

»Die sind aber auch ganz wild, du Doofer!«, hat Maus gesagt und ein Löwenzahnblatt in das Gehege gehalten. Dabei hatten Puschelchen und Wuschelchen ja eigentlich Gras genug. »Das sind ganz wilde Kaninchen!«

Petja hat Maus einen Vogel gezeigt, und dann sind die Jungs auf den Garagenplatz gegangen und haben Fußball gespielt. Aber wir sind noch ziemlich lange sitzen geblieben und haben zugeguckt, wie Puschelchen und Wuschelchen sich eingelebt haben. Und hinterher durften wir Tieneke alle helfen, Körner in die Futterschalen zu füllen und die Trinkflasche an der Käfigtür aufzuhängen.

Am Abend ist dann noch etwas Trauriges passiert. Wir haben gerade in der Küche beim Abendbrot gesessen, da hat es im Wohnzimmer plötzlich so einen dumpfen Knall gegeben, als ob ein Ball gegen die Fensterscheibe donnert.

Papa ist aufgestanden, um nachzugucken, und da war ein kleiner Vogel mit vollem Karacho gegen unser Wohnzimmerfenster geflogen. Er hatte wohl das Glas nicht gesehen und gedacht, es ist Luft.

Und nun lag er auf der Terrasse und war tot. Es hat so traurig ausgesehen, wie er da gelegen hat, und Papa hat ihn ganz vorsichtig angestupst, um zu sehen, ob er vielleicht doch noch atmet. Er hat sich aber nicht mehr gerührt.

»Da ist nichts mehr zu machen«, hat Papa gesagt, und ich habe gemerkt, dass so ein Kloß in meinem Hals sitzt, als ob ich weinen muss. Dabei habe ich den Vogel ja nicht mal gekannt.

Mama hat meinen Spielplatz-Spaten geholt und den Schuhkarton ausgeräumt, in dem sie die einzelnen Socken aufbewahrt. Dann hat sie den kleinen Vogel ganz vorsichtig mit dem Spaten in den Schuhkarton getan.

»Sonst kommt womöglich heute Nacht noch eine Katze und holt ihn«, hat sie gesagt. »Oder ein Raubvogel.«

Den Schuhkarton hat Papa in den Waschkeller getragen. »Ihr wollt den Vogel morgen doch sicher begraben«, hat er gesagt. Und das war ja klar.

Vor dem Einschlafen habe ich gedacht, dass so viele schöne Sachen passieren im Leben und auch so viele traurige. Jetzt hat Tieneke zwei so niedliche süße Kaninchen, aber der kleine Vogel musste sterben. Und beides am selben Tag, da weiß man ja gar nicht, ob man froh oder traurig sein soll.

Ich finde übrigens (aber das habe ich nicht gesagt), dass Mama ein bisschen Schuld hat. Sie hat letzte Woche gerade unsere Fenster geputzt. Und wenn die Scheiben noch so schmutzig gewesen wären wie vorher, hätte der Vogel bestimmt nicht versucht durchzufliegen. Dann könnte er jetzt noch leben.

Ich hab mir gedacht, dass ich später mal nicht so oft Fenster putzen will. Um die Tierwelt zu schützen.

Dann ist mir wieder eingefallen, dass morgen ja die Beerdigung ist, und vor lauter Freude bin ich gleich eingeschlafen.

4

Wir machen eine Beerdigung
und schneiden Blumen

Wir haben den Vogel hinten am Zaun in unserem Garten beerdigt, an der Stelle, wo bei Tieneke der Kaninchenstall steht. Es war ziemlich anstrengend, das Loch zu graben. So ein Schuhkarton braucht ja viel Platz.

Aber wir haben uns alle abgewechselt, und dann hat Michael uns geholfen, ein Kreuz zu zimmern. Er hatte zum Glück noch Leisten von Tienekes Gehege, und Mama hat gesagt, ihr macht es nichts aus, wenn hinten in unserem Garten ein Kreuz steht. Ich finde sogar, dass es eine richtige Verschönerung ist. Weil unsere Büsche sowieso noch so niedrig sind, dass man sie gar nicht sieht. Und jetzt haben wir wenigstens etwas anderes Hübsches.

Wir haben Michael gefragt, was auf einem Kreuz stehen muss, und er hat gesagt, »Ruhe in Frieden« und der Name und auch noch das Geburts- und das Sterbedatum.

Das Sterbedatum wussten wir ja, aber vom Geburtsdatum hatten wir keine Ahnung. Und einen Namen mussten wir uns auch erst noch ausdenken.

Jul hat aber gesagt, dafür ist es jetzt zu spät. Man kann einem nicht erst einen Namen geben, wenn er schon tot ist. Dann weiß er ja gar nicht, dass er gemeint ist.

Ich durfte auf das Kreuz schreiben, weil Jul zum Kieferorthopäden musste, und da hatte ich von allen die schönste Schrift.

Tieneke war ein bisschen böse und wollte auch, aber ich habe gesagt, sie kann ja hinterher »Puschelchen und Wuschelchen« auf ihren Käfig schreiben. Das Kreuz steht in *unserem* Garten, und da schreibe ich.

Als ich fertig war, hat es wirklich sehr schön ausgesehen. Ich habe für jede Reihe eine andere Farbe genommen, Rot für »Ruhe in Frieden« und Grün für »Kleiner Vogel« und Blau für das Sterbedatum. Davor habe ich »Tot« geschrieben, damit man wusste, dass es das Sterbedatum war. Das Geburtsdatum kannten wir ja nicht.

Ich hoffe nur, dass der Regen die schöne Schrift nicht abwäscht. Es ist leider nur Filzer.

Das Kreuz sah so feierlich aus, dass Tieneke und Fritzi und ich uns richtig ein bisschen auf unsere Terrasse gesetzt haben, nur um es anzugucken. Aber da sind die Jungs gekommen und haben gerufen, dass Laurin das Nest gefunden hat, in dem der kleine Vogel gewohnt hatte. Und das wollten wir natürlich auch gerne sehen.

Und man stelle sich vor, da hatten die Vogeleltern ihr Nest doch tatsächlich hinten bei den Bauwagen in einer alten Schubkarre gebaut! Vincent hat gesagt, das war klug von den Vogeleltern, weil es bei uns doch noch keine Bäume und keine großen Büsche gibt. Bei uns ist ja alles noch Bauwüste. Da mussten die Vogeleltern eben genau überlegen, wo sie ihr Nest bauen konnten.

Ich fand es nett von den Bauarbeitern, dass sie das Nest nicht einfach rausgeschmissen hatten. Bestimmt war es ohne Schubkarre manchmal nicht sehr praktisch. Bestimmt mussten sie viele Sachen selber schleppen.

Danach wollten Tieneke und Fritzi Maniküre spielen, das spiele ich sonst auch immer gerne. Man muss sich die Fingernägel lackieren, und manchmal machen wir das einfach nur so, und manchmal malen wir schöne Muster. Ich habe blauen Lack und grünen Lack und zwei verschiedene Sorten Rot. Die meisten Farben hat Tieneke, die hat sieben.

Aber heute konnte ich leider nicht mitmachen. Aus einem schönen Grund.

»Mama hat morgen Geburtstag!«, habe ich gesagt. »Da muss ich noch was basteln.«

Mama sagt nämlich immer, am allerliebsten sind ihr die Geschenke, die Petja und Maus und ich selber gebastelt haben. Kaufen kann sie schließlich auch alleine.

Das finde ich ein bisschen komisch. Jedenfalls bin ich froh, dass Mama und Papa mir zum Geburtstag nicht auch immer was basteln. Ich kriege lieber richtige Sachen.

Sonst mag ich immer gerne basteln, aber diesmal ist mir wirklich nichts Schönes eingefallen, weil Mama das meiste schon hat: Fensterbilder und kleine Fimo-Schilder für alle Zimmertüren und Kerzenhalter und Serviettenringe aus Klorollen und schöne Dosen aus Käseschachteln.

»Wir können ja Parfüm für sie machen«, hat Fritzi gesagt. Manchmal hat Fritzi doch gute Ideen!

Sie hat erzählt, dass sie mal auf einem Sommerfest war, da konnten die Kinder ganz viele Sachen ausprobieren: Buttons mit ihrem Namen in einer Buttonmaschine pressen und Negerkusswerfen und Nägel einhämmern und Parfüm anrühren. Parfüm machen fanden wir alle eine tolle Idee. Fritzi konnte sich nicht mehr so ganz genau erinnern, aber sie hat gesagt, sie glaubt, zuerst muss man Blumen pflücken, und dann muss man sie kochen, und dann muss man das Parfüm in eine hübsche Flasche tun.

Da haben wir uns Mamas Küchenschere ausgeliehen für die Blumen mit den dicken Stängeln. Wir mussten es machen, als Mama grade nicht in der Küche war, sonst hätte sie vielleicht noch gefragt, wozu wir die Schere brauchen.

Fritzi hat eine Plastiktüte für die Blüten geholt, und dann sind wir losgegangen.

Maus ist angerannt gekommen und wollte mitmachen, weil die großen Jungs ihn weggeschickt hatten. Wir haben gesagt, er darf, wenn er schwört, dass er uns nicht stört und Mama nichts verrät.

Er hat dreimal auf den Boden gespuckt und »Ich schwöre, schwöre, schwöre« gesagt, und da durfte er mit.

Zuerst haben wir bei uns am Möwenweg nach Blumen gesucht,

aber da gab es wirklich nicht viele. Bei uns sind ja alles noch Baustraßen, und früher waren es mal Kuhwiesen, hat Mama erzählt. Man stelle sich vor, dass wir auf einer Kuhwiese wohnen! Blumen hat es aber leider trotzdem nicht gegeben.

Wir sind also in die Straße gegangen, wo wir die Kaninchen geholt hatten, und da war es besser. Das hatten wir uns ja gedacht. Viele Häuser hatten große, alte Gärten mit dicken Bäumen und ganz vielen Blumen, und Tieneke hat gesagt, natürlich darf man keine Blumen aus fremden Gärten klauen, aber wenn es für eine Mutter zum Geburtstag ist und wenn man aus jedem Garten vielleicht immer nur eine Blume nimmt und ganz dicht am Zaun, ist es vielleicht ausnahmsweise erlaubt.

Das hab ich auch gefunden. Obwohl ich so ein komisches kleines Gefühl in meinem Bauch hatte. Nur Fritzi hat schon fast wieder geweint und gesagt, das ist aber Stehlen, und Stehlen ist noch schlimmer als Lügen. Aber weil Tieneke und ich zwei waren und Fritzi war nur eine und ist außerdem erst in der ersten Klasse, haben wir doch gemacht, was wir wollten.

Es hat auch gut geklappt. Wir waren schon ziemlich weit gegangen und hatten hinter jedem Zaun wirklich immer nur eine ganz winzig kleine Blüte genommen, da sind wir an einen Garten gekommen, der hat ausgesehen wie in den Märchenbüchern aus der Leihbücherei. Alles war voller Rosen, das Haus und der Zaun und die Beete, und ich habe Tieneke angeguckt und Tieneke hat mich angeguckt, und da hab ich gewusst, dass wir schon wieder mal beide ganz genau das Gleiche gedacht haben. Das tun wir nämlich oft. Ich finde, bei besten Freundinnen muss das auch so sein.

»Die haben ja so viele!«, hat Tieneke gesagt, und ich habe versucht, das komische Gefühl in meinem Bauch gar nicht zu merken.

Jeder weiß ja, dass Rosen die allerbesten Parfümblumen sind. Und wenn in einem Garten so schrecklich viele wachsen, dann merken die Leute bestimmt noch nicht mal, wenn man ein paar mehr davon nimmt.

Ich hab Mamas Küchenschere aus der Plastiktüte geholt, aber irgendwie konnte ich nicht gleich losschneiden. Mein Herz hat ganz komisch gebummert.

Da ist plötzlich eine Frau mit einer Einkaufstasche aus der Tür gekommen und hat gesagt, nanu, was macht ihr denn hier.

»Bewundert ihr meine Rosen?«, hat sie gefragt.

Und natürlich hat Maus sich vorgedrängelt und hat gesagt, nee, bewundern tun wir die gar nicht, wir wollen sie nur klauen.

Zum Glück hat die Frau gelacht und gesagt, na, das ist ja ein starkes Stück. Aber Fritzi hat natürlich angefangen zu weinen. Ich habe ganz schnell gesagt, dass Maus spinnt und dass wir nur vielleicht ein ganz paar ganz kleine abschneiden wollten, weil Mama morgen Geburtstag hat.

»Und wir haben ja keine!«, hat Maus ganz böse zu der Frau gesagt. »Du musst uns welche abgeben! Sonst bist du ein Geizkragen.«

Das sagen sie nämlich immer im Kindergarten.

Die Frau hat gefragt, ob wir die Blumen für einen Geburtstagsstrauß brauchen, und ich habe gesagt, nein, für Parfüm. Und Maus hat wieder geschrien: »Und wir haben ja keine! Du musst uns was abgeben! Das muss man, das ist sonst ungezogen!«

»Für Parfüm?«, hat die Frau gesagt, und dann hat sie ihre Pforte aufgemacht und uns reingelassen. »Dann hab ich eine Idee.« Sie hat all die Blüten abgeschnitten, die schon ein bisschen kopfhängig waren. Weil man das bei Rosen sowieso so machen muss, hat sie gesagt. Aber für Parfüm sind die noch ganz wunderbar gut.

Und da hatten wir wirklich unsere Plastiktüte voller Rosen, man stelle sich vor. Ich habe gedacht, dass Mama sich morgen bestimmt ganz kaputtfreut. So ein Rosenparfüm ist ja ein viel schöneres Geschenk als ein Fensterbild oder ein Kerzenhalter.

5

Wir machen Parfüm
und feiern Geburtstag

Zu Hause wollten wir gleich in unsere Küche gehen und anfangen mit dem Kochen. Aber Mama hatte schon auf uns gewartet und hat uns ins Wohnzimmer gewinkt.

Sie hat sehr ernst geguckt und gesagt, Frau Voisin hat geklingelt und sich über das Kreuz an unserem Zaun beschwert. Wenn sie auf ihrer Terrasse sitzt, sieht sie jetzt auf einer Seite den unordentlichen Kaninchenkäfig, hat sie gesagt, und auf der anderen unser Kreuz. Dafür haben ihr Mann und sie sich kein teures Reihenhaus gekauft und den Garten von einem Gärtner anlegen lassen. Wenn sie auf ihrer Terrasse sitzt, will sie auf schöne Pflanzen gucken und nicht auf fremde Tiere. Sie will keine Tiere an ihrem Zaun, lebendige nicht und tote auch nicht.

»Die kann ja gar nicht bestimmen!«, hab ich gerufen, und Tieneke hat geschrien, nur wegen Frau Voisin gibt sie Puschelchen und Wuschelchen aber nicht weg.

Mama hat gesagt, das kann Frau Voisin auch nicht verlangen, aber um des lieben Friedens willen hat sie wenigstens bei uns das Kreuz abgebaut.

Da hab ich zum Zaun geguckt, und tatsächlich, das feierliche Kreuz mit meiner allerschönsten Schrift war weg. Jetzt weiß ich genau, dass Frau Voisin ein schlechter Mensch ist, weil sie nicht mal einem kleinen Vogel ein schönes Grab gönnt. Aber lange konnte ich nicht darüber nachdenken. Weil wir ja Parfüm kochen mussten.

Wir haben zu Mama gesagt, dass wir jetzt dringend mal ihre Küche brauchen und sie muss leider bitte weggehen.

Da hat Mama zuerst ganz erstaunt geguckt, aber dann hat sie gefragt, ob es vielleicht mit dem Geburtstag zu tun hat.

Ich habe gesagt, es ist ein Geheimnis. Da ist sie gegangen, aber wir mussten versprechen, dass wir nicht alleine am Herd hantieren. Das konnten wir ja leider nicht.

»Wir hantieren aber vorsichtig«, hat Fritzi gesagt.

Als Mama gegangen war, haben wir zuerst nach einer schönen Flasche gesucht. Zum Glück haben wir einen Altglas-Sammeleimer. Aber hübsche leere Parfümflaschen waren da leider keine drin.

Darum haben wir die kleinste leere Flasche genommen, das war eine, auf der stand: »Jogurt-Dressing. Mit einem Hauch von Knoblauch«. Sie war natürlich trotzdem ein bisschen zu groß, aber Tieneke hat gesagt, dann geht wenigstens ordentlich was rein.

Wir haben von allen Blüten die Blätter abgezupft und sie in einen Topf getan und Wasser dazugeschüttet. Dann haben wir alles gekocht.

Das Wasser hat gerade angefangen zu blubbern, da ist Jul vom Kieferorthopäden zurückgekommen. Er hatte sie sehr gelobt, weil sie immer schön an den Schrauben gedreht hatte. Das musste sie uns natürlich gleich wieder erzählen. Dann hat sie ein bisschen am Topf geschnuppert und gesagt, unser Parfüm riecht nach gar nichts.

»Tut es doch!«, hat Fritzi gerufen, aber dann habe ich auch geschnuppert, und da musste ich leider finden, dass Jul Recht hatte.

»Vielleicht riecht es ein winziges bisschen?«, habe ich gesagt. »Vielleicht ist es ein sehr zartes Parfüm?«

Wir haben alle noch mal geschnuppert, abwechselnd, und Tieneke hat gesagt, es riecht wirklich nach gar nichts. Höchstens vielleicht ein winziges bisschen nach faulen Eiern. Das ist aber ja für ein Parfüm nicht so gut.

Jul hat vorgeschlagen, dass wir das Blumenwasser noch mal ordentlich kochen lassen, bis das meiste Wasser verdampft ist. Es hat aber nichts genützt, nur die ganze Küche war voller Dampf. Da hat Tieneke gesagt, jetzt glaubt sie nicht mehr, dass die in den Parfümfabriken ihr Parfüm nur aus Blumen machen. Das ist alles Beschummel. Bestimmt ist da ein Trick dabei.

»Bestimmt tun die heimlich echtes Parfüm dazu!«, hat Fritzi gesagt, und da ist Tieneke losgeflitzt und hat eine große Parfümflasche von ihrer Mutter geholt.

Zuerst haben wir unser gekochtes Parfüm in die Dressingflasche gekippt und dann das Parfüm von Tienekes Mutter obendrauf. Und da hat es wirklich wunderbar gerochen. Wie ganz echtes Parfüm. Wir haben blitzschnell den Deckel zugeschraubt.

Als Mama in die Küche gekommen ist, hat sie geschnuppert und gesagt, das duftet ja ganz wunderbar, aber einen Kuchen haben wir schon mal nicht gebacken. »Na, nun bin ich aber wirklich mal gespannt!«, hat sie gesagt.

Und das sollte sie ja auch sein. Dafür macht man schließlich vor dem Geburtstag die ganzen Heimlichkeiten, damit das Geburtstagskind ganz kribbelig wird und es gar nicht mehr aushalten kann. So ist es bei mir auch immer. Tieneke hat gesagt, bei ihr auch, aber bei ihrer Mutter leider nicht. Ich glaube, das ist, weil Tieneke nicht so gerne bastelt. Da hat ihre Mutter ja nichts, worauf sie sich freuen kann.

Wir haben dann mit den Jungs noch Baustellenverstecken gespielt, und am Abend habe ich mich in meinem Zimmer eingeschlossen (das darf ich aber eigentlich nicht) und ein wunderschönes Etikett für meine große Parfümflasche gemalt. Das habe ich über das alte geklebt, und da stand jetzt nicht mehr: »Jogurt-Dressing. Mit einem Hauch von Knoblauch« (das hat ja auch nicht mehr gestimmt), sondern: »Rosen-Parfüm«.

Ich habe mindestens tausend winzig kleine rosa Rosen auf das

Etikett gemalt, das kann ich gut. Man muss nur immer lauter kleine Halbmonde im Kreis malen, und dann drum rum noch mehr Halbmonde, so:

Die Flasche hat so schön ausgesehen, dass ich fast gar nicht einschlafen konnte. So doll habe ich mich darauf gefreut, was Mama wohl dazu sagt.
Und dann hat sie sich wirklich so fürchterlich, fürchterlich doll gefreut!

Sie hat mich in den Arm genommen und geknuddelt und gesagt, so eine riesige Flasche Parfüm hatte sie ja noch nie.
»Und das hast du wirklich alles selbst gemacht?«, hat sie gefragt. Ich musste ihr erzählen, woher ich die Blumen hatte, und irgendwie kann ich Mama immer nicht so gut beschwindeln.

Darum habe ich ihr das von der Frau und den Rosen erzählt, und Mama hat ein bisschen geseufzt. Dann musste ich schwören, dass ich nie wieder Blumen bei fremden Leuten klaue.

Petja hatte natürlich wieder nichts gebastelt. Er hat Mama ein Feuerzeug geschenkt, das finde ich nicht sehr nützlich, weil Mama ja gar nicht raucht. Aber Petja findet Feuerzeuge gut, da denkt er wohl, das tun alle Leute. Und Mama hat auch gesagt, sie kann es sehr gut gebrauchen, wenn sie mal Kerzen anzündet.

Maus hatte ein Bild gemalt, das hatte Papa ihm vorgeschlagen, und das sollte ein Bagger sein. Es war aber nur Krickel-Krackel. Das hat Mama aber nicht gesagt, Maus ist ja noch so klein. Sie hat sich auch über den Krickel-Krackel-Bagger sehr gefreut.

Aber ich glaube, am allermeisten hat sie sich über mein Parfüm gefreut, und das finde ich so schön. Da hat sich die ganze Mühe doch gelohnt.

Sie hat den Deckel abgeschraubt und die Flasche an die Nase gehalten, und dann hat sie ganz erstaunt geguckt.

»Das duftet ja wirklich!«, hat sie gesagt. »Meine Güte, Tara, und das hast du wirklich aus Rosen gekocht?«

Das konnte ich ja schwören.

Mama hat Papa die Flasche zum Riechen gegeben, und er hat geschnuppert und geschnuppert, und dann hat er gesagt, duften tut es unbedingt, aber nach Rosen irgendwie nicht so sehr. Mehr nach Flieder.

»Das ist doch komisch, dass Rosen einen Fliederduft annehmen, wenn man sie kocht!«, hat Mama gesagt. Und dass sie das

Parfüm bestimmt gerne benutzen will. Es ist ja genug davon da. Richtig gefeiert haben wir nicht, das wollte Mama erst am Sonntag tun. Aber am Abend sind wir in die Eisdiele gegangen, und die anderen Kinder waren auch eingeladen. Da sind Tienekes Eltern auch noch mitgegangen, und die von Fritzi und Jul auch. Darum mussten wir auf der Eisdielen-Terrasse vier Tische zusammenschieben, und ich habe aufgepasst, dass ich schön in der Mitte sitze, nicht am Rand. Wenn ich mit dem Rücken zum Gebüsch sitze, habe ich immer Angst, dass vielleicht eine grässliche Hand aus der Dunkelheit kommt und nach mir greift. Oder ein Geist.

Das erzähle ich aber keinem, nur ganz vielleicht Tieneke. Die andern lachen sonst nur.

Michael ist aufgestanden und hat eine feierliche Rede gehalten. Er hat gesagt, dass Mama nun schon über dreißig ist, aber dass das kein Mensch glauben kann, weil sie aussieht wie siebzehn. Habe ich nicht gesagt, dass Michael immer so viel Quatsch macht?

Ich finde, Mama sieht überhaupt nicht aus wie siebzehn, zum Glück. Eine Mutter muss gerade richtig alt aussehen, finde ich, und das tut Mama auch.

Dann haben wir alle »Happy Birthday« gesungen. Aber richtig und nicht, wie die Kindergarten-Babys es singen, mit »Marmelade im Schuh, Aprikose in der Hose«. Und danach haben wir alle mit unseren Eisbechern angestoßen.

Als wir alle zusammen von der Eisdiele nach Hause zurückgegangen sind, ist es schon dunkel geworden. Sehr viele Sterne waren nicht am Himmel, aber Tieneke und ich haben trotzdem »Weißt du, wie viel Sternlein stehen« gesungen, und dabei ist mir eingefallen, dass bald wieder Laternezeit ist und wir im Dunkeln mit unseren Laternen herumgehen und singen. Da hab ich mich so glücklich gefühlt.

Das hat aber nicht lange angehalten, weil die Jungs natürlich gleich wieder anfangen mussten mitzugrölen, und sie singen dann auch immer so blöde Worte und lachen über uns.

Petja hat sich seine Turnschuhe ausgezogen und gesungen: »Weißt du, wie viel Füße miefen?«, und da haben Vincent und Laurin das auch gemacht. Sie wollten sich alle totlachen, und da war die schöne feierliche Stimmung natürlich vorbei. Da haben Tieneke und ich lieber aufgehört zu singen.

Als Mama mir meinen Gute-Nacht-Kuss gegeben hat, hat sie noch mal gesagt, wie sehr sie sich über mein Geschenk gefreut hat.

»Und wie lustig, dass dein Rosenparfüm nach Flieder duftet!«, hat sie gesagt. »Aber weißt du was? Wenn man ganz genau schnuppert, riecht es sogar auch ein ganz winziges bisschen nach Knoblauch, und das verstehe ich nun überhaupt nicht.«

Ich war aber zu müde, um es ihr zu erklären.

6

Wir tapezieren und reißen aus

Bei Mamas Geburtstagsfeier (eine richtige war es ja nicht) hat Michael Papa gefragt, ob die Erwachsenen nicht am Wochenende alle zusammen zum Kegeln gehen wollen.

Petja hat geschrien, ja, geil, da geht er auch mit. Aber Papa hat gesagt, dass daraus leider nichts werden kann. Weil wir bei uns am Wochenende nämlich die Küche und das Wohnzimmer tapezieren wollen, und da bleibt zum Kegeln keine Zeit.

Man stelle sich vor, dass Mama und Papa uns davon vorher noch gar nichts erzählt hatten!

Mama hat gesagt, von außen ist unser Haus jetzt gut in Schuss und der Garten ist eigentlich auch okay. Jetzt sind mal endlich die Zimmer dran.

Wir sind dann alle zusammen zum Baumarkt gefahren, um die Tapeten auszusuchen. Nur Petja hat gesagt, ihm sind Tapeten ganz egal. Er wollte lieber mit Vincent und Laurin Fußball spielen.

Es war auch ein Glück, dass Petja nicht dabei war. Weil wir uns so schon gestritten haben, welche Tapeten am schönsten sind. Maus wollte welche mit Puderbär oder mit dem kleinen Tiger, und als Mama gesagt hat, die sind aber fürs Kinderzimmer, wollte er wenigstens Bauernhoftiere oder gefährlichen Urwald. Papa hat gesagt, für die Küche passt das nicht so gut. Aber für seine Wand im Jungszimmer darf Maus so eine Tapete nehmen, wenn da mal tapeziert wird. Da war Maus zufrieden.

Ich wollte am liebsten eine hübsche Blumentapete mit so glänzigen gelben Blumen. Aber Papa hat gesagt, eher nicht. Bestimmt finden wir noch was anderes. Am glücklichsten ist man immer mit etwas Praktischem, und darum haben sie eine langweilige Raufasertapete ausgesucht, ganz ohne Muster. Da kann man es ja gleich so lassen, wie es ist, finde ich.

Das habe ich aber nicht gesagt, weil ich mich nämlich schon auf das Tapezieren gefreut habe. Ich finde das Einkleistern so schön und dass es in den leeren Räumen immer so klingt wie im Schwimmbad, wenn man redet. Man muss die Zimmer ja leer räumen, bevor man anfängt. Sonst werden die Möbel ganz kleisterig.

Aber in der Küche war das keine große Mühe, weil die Wandschränke drinbleiben konnten. Wir mussten am Freitag nur den Esstisch und die Stühle und das Gestell für die Tüten mit dem Papiermüll raustragen, und Maus hat immerzu geschrien: »Und was soll ich machen, Mama? Was soll ich machen?«

Da hat Mama gesagt, Maus darf den Boden fegen, das ist eine große Hilfe. Das war es in Wirklichkeit aber gar nicht. Er ist uns nur immer zwischen den Füßen rumgelaufen. Aber ich war so guter Laune, dass ich gefunden hab, Maus darf auch ruhig glauben, dass er ein tüchtiger Helfer ist.

Am Freitagabend haben Tieneke und ich in ihrem Garten Zoohandlung gespielt. Aber Mama hat mich schon ganz früh rein-

gerufen und gesagt, ich muss ins Bett. Weil wir doch am nächsten Morgen mit der Arbeit anfangen wollten. Tieneke hat gesagt, sie kann ja auch kommen und tapezieren helfen, aber ich habe gesagt, sie braucht nicht, vielen Dank. Ich glaube, wenn eine noch nicht mal so richtig gerne basteln mag, findet sie Tapezieren bestimmt auch schwierig.

Das habe ich Tieneke aber nicht gesagt. Nur dass wir leider schon genug Helfer in der Familie hatten.

Und dann ist alles ganz anders gekommen! Um acht Uhr morgens hat Michael schon bei uns geklingelt. Er hatte seine Malerjeans an und so einen komischen Hut aus Zeitungspapier auf dem Kopf.

»Bin ich zu spät?«, hat er gefragt.

Papa hat ganz erschrocken geguckt und gesagt, es ist wirklich nicht nötig, dass Michael seinen freien Tag für uns opfert.

Aber Michael hat gesagt, das ist doch selbstverständlich. Wenn ein Nachbar Hilfe braucht, steht er immer auf der Matte.

Ist das nicht nett von Michael? Ich finde, er ist von allen Nachbarn der Allerliebste.

Leider war es dann nachher aber ziemlich eng in unserer Küche. Wir haben den Tapeziertisch aufgestellt und Petja durfte in einem Eimer alleine den Kleister anrühren. Mama hat gesagt, sie hält sich vielleicht erst mal lieber raus.

Aber Papa und Michael haben losgelegt und die Tapetenrollen auf dem Tisch ausgerollt und Bahnen abgeschnitten, die genau richtig lang waren für unsere Wände. Dann durften Petja, Maus und ich sie mit dem Kleister einstreichen, immer abwechselnd. Manchmal waren noch Klümpchen im Kleister, die mussten wir dann wegmachen. Sonst sieht die Tapete nachher an der Wand ganz hubbelig aus, hat Papa gesagt.

Und Maus war schrecklich aufgeregt und wollte sich immerzu vordrängeln.

»Ich bin aber dran, du Schummelheini!«, hat er geschrien, als Petja gerade wieder den Pinsel in den Kleistereimer tunken wollte. Das hat aber gar nicht gestimmt. »Ich bin aber dran, du alter Vordrängler!«

Und weil er so aufgeregt war, hat er die ganze Zeit rumgezappelt. Und da musste es ja passieren.

Gerade als er »Du alter Vordrängler!« geschrien hat, ist er aus Versehen mit dem Fuß gegen den Eimer gekommen, und der Eimer ist umgekippt und der Kleister ist auf den Boden gelaufen.

Zum Glück haben wir in der Küche Fliesenboden, da ist es nicht so schlimm. Michael hat den Kleister ganz schnell wieder weggewischt.

Aber Papa hat gesagt, dass er nun doch langsam die Nase voll hat. Es ist immer schön, wenn Kinder helfen wollen, hat er gesagt, aber vielleicht ist unsere Küche einfach ein bisschen klein für alle. Michael und er schaffen das Tapezieren auch alleine.

Da ist Petja wütend geworden und hat den Pinsel auf den Tapetentisch geknallt, und Maus hat »Manno! Kann ich doch nichts dafür!« geschrien und angefangen zu heulen.

Zuerst wollte ich schimpfen, dass es gemein ist, wenn Petja und ich auch nicht mehr tapezieren dürfen, nur weil Maus noch zu klein und zu dumm ist. Aber eigentlich fand ich es gar nicht so schlimm. Immer nur rumstehen und warten, bis man wieder eine Tapetenbahn mit Kleister einstreichen darf, finde ich nämlich eigentlich ein bisschen langweilig.

Das habe ich aber nicht gesagt. Ich bin einfach mit einem bösen Gesicht hinter Petja her aus der Küche gegangen. Petja hat die Haustür richtig hinter uns zugedonnert.

»Typisch!«, hat er gesagt. »Erst erzählen sie uns, dass wir ihnen unbedingt helfen müssen, und wenn man sich dann den Tag extra freigehalten hat, können sie einen plötzlich nicht mehr brauchen.«

Ich hatte gar nicht gewusst, dass Petja sich den Tag extra freigehalten hatte. Eigentlich sind seine Samstage doch sowieso frei. Immer muss Petja so reden.

Vor ihrer Haustür haben Fritzi und Jul auf ihrer Pforte gesessen und haben wütend ausgesehen. Dabei dürfen wir nicht auf den Pforten schaukeln. Davon können die Scharniere kaputtgehen.

Aber ich hab mich gefreut, dass Fritzi und Jul draußen waren. Eigentlich hatte ich plötzlich viel mehr Lust dazu, mit Fritzi und Jul zu spielen, als die Küche zu tapezieren.

»Na?«, hab ich deshalb gesagt und wollte mich zu ihnen auf die Pforte setzen. Aber Jul hat mich weggeschubst.

»Lass das!«, hat sie gesagt. »Die Pforte geht kaputt!«

Da hab ich gewusst, dass Jul schlechte Laune hat. Das konnte man übrigens auch an ihrem Gesicht sehen.

»Nur wegen eurer blöden Küche!«, hat Fritzi gesagt.

Das hab ich zuerst nicht verstanden, aber dann hat Jul es erklärt. Michael hatte nämlich versprochen, dass er mit Fritzi und Jul in den Freizeitpark fahren wollte, wo es doch mit dem

Kegeln nichts geworden war. Aber dann hatte er heute Morgen plötzlich seine Meinung geändert und gesagt, nee, nee, wenn ein Nachbar Hilfe braucht, kann er ihn nicht allein lassen. Und dann war er zu uns zum Tapezieren gegangen, und aus dem Freizeitpark ist nichts geworden.

»Ich finde das nett, dass er so hilfsbereit ist«, hab ich vorsichtig gesagt. Ich wollte, dass Fritzi und Jul wieder gute Laune hatten.

Aber Petja hat gesagt, bestimmt ist Michael nur geizig. So ein Freizeitpark ist teuer. Da spart er viel Geld, wenn er da nicht hinfährt und stattdessen tapeziert.

Gerade als ich vorschlagen wollte, dass wir dann ja irgendwas anderes Schönes machen könnten, weil es doch schade ist, wenn man seine Sommerferien mit Maulig-Sein vergeudet, hat plötzlich jemand gepfiffen.

Im Endhaus haben Vincent und Laurin auf dem Schlafzimmerbalkon über dem Eingang gestanden. »Hü-u-üt!«, hat Vincent gerufen. Er kann nämlich nicht zwischen den Zähnen pfeifen, deshalb tut er immer nur so. »Hü-u-üt! Kommt mal her!«

Und das hat sich wirklich gelohnt. Vincent hat uns erzählt, dass Laurin und er Stubenarrest hatten, weil sie gestern ihre Zimmer nicht richtig aufgeräumt hatten. Und Laurin hatte auch seine Ferien-Lernzettel für die Schule nicht so gut ausgefüllt.

Darum war ihre Mutter jetzt böse und sie mussten den ganzen Morgen in ihren Zimmern bleiben.

»Das tun wir aber nicht, pööh, soll sie mal sehen!«, hat Laurin gerufen.

Und wir konnten das auch sehen. Schließlich standen sie auf dem Schlafzimmerbalkon und nicht in ihren Zimmern.

»Sie ist zum Einkaufen«, hat Vincent düster gesagt. »Und wir werden die Chance nutzen. Wir hauen ab. Oder, Laurin?«

»Wir hauen jetzt ab«, hat Laurin gesagt, und dann hat Vincent erklärt, dass wir mal alle schön einen Schritt zurückgehen sollten, damit sie springen konnten.

»Du willst doch wohl nicht wirklich vom Balkon springen!«, hat Jul erschrocken gerufen.

Aber Vincent ist schon über das Geländer geklettert.

»Ich lass mir meine Freiheit nicht rauben!«, hat er gesagt. »Von niemandem, basta!«

Aber dann ist er doch nicht gesprungen. Er hat sich nur ganz vorsichtig an einem Balkonpfeiler nach unten gelassen. Hinterher hatte er einen Splitter in der Hand. Die Pfeiler sind ja aus Holz.

»Jetzt komm ich!«, hat Laurin gesagt. Aber er ist ja erst in der ersten Klasse. Da hat er vielleicht noch nicht so gut gewusst, wie es geht.

Zuerst ist er nämlich ganz richtig über das Geländer geklettert. Aber als er dann am Pfeiler hing, hat er zu früh losgelassen, und wommm!, ist er einfach runtergedonnert. Zum Glück liegt auf dem Boden ja Kies.

Laurin hat aber trotzdem ganz furchtbar laut geheult, und Vincent ist zu ihm hingerannt und hat geschrien: »Laurin! Hast du dir was gebrochen?«

Da ist Laurin ganz still geworden und hat nur so auf dem Boden gelegen und gar nichts mehr gesagt.

»Laurin!«, hat Vincent gebrüllt. »Sag mal was! Laurin! Bist du tot?«

»Quatsch!«, hat Petja gesagt und Vincent zur Seite gedrängelt.

»Leichen schnaufen nicht.«

Das hat Laurin nämlich getan, und dann hat er überall so an sich rumgegrabbelt.

»Ich glaub, das ist alles heile«, hat er ganz erstaunt gesagt. »Willst du auch mal?«, und er hat Petja zuerst seine Arme hingestreckt und dann seine Beine.

»Der ist okay«, hat Petja gesagt. »Steh auf, Laurin. Stell dich nicht so an.«

Aber da hat Fritzi gesehen, dass Laurin Blut am Ellenbogen hatte, und sie hat es ihm gesagt, und da hat Laurin wieder angefangen zu heulen.

Das konnte ich auch verstehen. Es war nicht viel Blut, aber echt war es trotzdem.

Vincent hat gesagt, Laurin ist ein Held, weil er für die Freiheit eine große Gefahr auf sich genommen hat. Aber hinterher hat er erzählt, dass die Haustür gar nicht abgeschlossen war. Da hätten sie also auch ganz normal durch die Tür abhauen können!

Vincent hat gesagt, das ist ja albern. Stubenarrest ist wie Gefängnis. Und aus dem Gefängnis kann man auch nicht einfach durch die Tür marschieren, wenn man die Nase voll hat.

»Ausbrechen geht nur durchs Fenster«, hat Vincent gesagt. »Und dann ab in die weite Welt.«

Wir haben ihn angestarrt.

»Willst du ehrlich abhauen?«, hat Petja gefragt. »In echt?«

Vincent hat ein Gesicht gemacht wie Männer im Fernsehen.

»Bei einer, die mir Stubenarrest gibt, bleib ich nicht«, hat er gesagt. »Wir hauen ab, oder, Laurin?«

Laurin hat auf seinen Ellenbogen gestarrt, aber der hatte längst aufgehört zu bluten.

»Wo mein Bruder sein Leben riskiert hat!«, hat Vincent gesagt. »Nee, da gehen wir nie wieder rein«, und er hat sich von ihrem teuren Endhaus weggedreht.

Da hab ich Petja angeguckt und Petja hat Fritzi und Jul angeguckt, und dann hat Petja gesagt, dass unser Vater heute Morgen eigentlich auch ziemlich unfair gewesen war. Bei dem wollten wir vielleicht auch nicht mehr bleiben. Und Fritzi hat gesagt, ihr Vater war sogar richtig gemein.

Da war es ja klar, dass wir alle zusammen ausreißen wollten. Nur Jul hat gesagt, wir sollen nicht kindisch sein, Ausreißen ist für Babys.

Petja hat gesagt, bitte sehr, sie kann ja zu Hause bleiben. Wenn sie sich von ihrem Vater alles gefallen lassen will.

Da hat Jul ein bisschen maulig ausgesehen, aber dann wollte sie doch lieber mitmachen.

Ich war richtig kribbelig vor Aufregung, aber ein bisschen hab ich es auch schade gefunden. Weil es bei uns im Möwenweg doch eigentlich schön ist. Aber Ausreißen ist vielleicht sogar noch schöner.

Wir wollten grade losgehen, da ist mir zum Glück noch Tieneke eingefallen. Die wollte ja vielleicht auch mit ausreißen.

Darum hab ich zu Jul gesagt, dass sie auf dem Garagenplatz auf mich warten sollten. Ich hab schnell bei Tieneke geklingelt.

»Oh, guten Morgen, Tara!«, hat Tienekes Mutter gesagt, als sie die Tür aufgemacht hat. »Willst du reinkommen? Es gibt Waffeln zum Frühstück.«

»Nein, danke«, hab ich gesagt. Obwohl ich Waffeln eigentlich gerne mag. Besonders mit Schokostreuseln. »Ich möchte bitte mit Tieneke sprechen.«

Die ist aber sowieso schon gekommen.

»Na, hallo, Tara!«, hat sie gerufen. »Wollen wir gleich weiter Zoohandlung spielen?«

Ich hab den Kopf geschüttelt. Weil ihre Mutter immer noch da gestanden hat, konnte ich ihr ja nicht sagen, dass ich nur gekommen war, um sie zum Ausreißen zu holen.

»Könnten Sie vielleicht bitte mal weggehen?«, hab ich zu Tienekes Mutter gesagt.

Sie hat gelacht und gesagt, aber bitte, klar, wenn ich so höflich frage, geht sie doppelt gerne. Das muss ja wohl ein großes Geheimnis sein, das ich mit Tieneke besprechen will.

Und das war es ja auch. Tieneke war ganz aufgeregt, als ich ihr erzählt habe, dass wir abhauen wollten, und sie hat gesagt, es macht nichts, dass sie grade keinen Krach mit ihren Eltern hat. Abhauen kann sie trotzdem mal kurz. Sie muss nur noch ihre Waffel aufessen.

Ich hab ihr vorgeschlagen, dass sie zum Ausreißen auch eine

kleine Wegzehrung mitbringen sollte. Später wollten wir uns natürlich Arbeit suchen und Geld verdienen oder vielleicht auf der Straße singen und einen Hut hinstellen, aber es konnte ja nicht schaden, wenn wir für den ersten Tag erst mal was zu essen dabeihatten.

Leider wusste Tieneke nicht genau, was Wegzehrung bedeutet, darum hat sie nur eine Cola mitgebracht, als sie zu uns auf den Garagenplatz gekommen ist. Aber wenigstens eine von den Riesenflaschen.

»Dann aber los, Männer, bevor der Feind uns aufspürt!«, hat Petja gesagt.

Ich finde nicht, dass Mama und Papa und die anderen Eltern richtige Feinde sind. Aber man muss es ja so sagen. Dann macht es viel mehr Spaß.

Vincent hat gesagt, wir sollen ihm alle einfach möglichst lautlos folgen. Er hat sich nämlich schon genau überlegt, wohin wir ausreißen können.

Und das war ja ein Glück. Wir anderen wussten schließlich mit dem Weglaufen nicht so genau Bescheid. Da war es doch gut, dass Vincent alles in die Hand genommen hat.

Als wir aus dem Möwenweg abgebogen sind, hab ich mich noch mal umgedreht und zurückgeguckt. Es konnte doch sein, dass ich unser Haus nie mehr wiedersehen würde!

Da hatte ich plötzlich einen richtigen Kloß im Hals. Eigentlich war alles ja schrecklich traurig. Man stelle sich vor, wenn wir wirklich niemals mehr zurückkommen würden!

Ich hab lieber angefangen zu rennen und Fritzi gegen den Arm geboxt. »Fang mich doch!«, hab ich geschrien.

Fritzi ist ja nicht halb so schnell wie ich.

7

Wir bauen eine Höhle
und müssen fast verhungern

Wir sind durch das ganze Neubaugebiet gegangen und an der Schule vorbei und in den Ort und an der Hauptstraße entlang.

»Mir qualmen ja schon die Socken, Mann!«, hat Petja gesagt.

Meine Socken haben nicht gequalmt. An der linken Hacke hatte ich aber bestimmt fast eine Blase.

»Gleich sind wir am Ziel«, hat Vincent gesagt. »Haltet durch, Männer, haltet durch! Nur noch wenige Tagesmärsche, dann sind wir da.«

Und gerade als ich gedacht hab, dass ich bestimmt keinen einzigen Tagesmarsch mehr durchhalte, ist Vincent hinter dem neuen Feuerwehrgerätehaus in eine kleine Seitenstraße eingebogen.

»Hier wird ab jetzt unsere Heimat sein«, hat er feierlich gesagt. Vincent liest ja so viele Bücher. »Wasser ist immer das Wichtigste.«

Und da hab ich gewusst, dass der weite Weg sich gelohnt hatte. Hinter dem Gerätehaus ist nämlich eine Wiese mit Büschen und ein paar Bäumen drauf. Und in der Mitte liegt der Feuerwehrteich.

»Geil!«, hat Petja geschrien. »Wildnis!«

Eine richtig wilde Wildnis war es natürlich nicht, nur fast. Aber Jul hat sich an die Stirn getippt und gesagt, so dicht beim Möwenweg finden die Erwachsenen uns doch sofort.

Vincent hat gesagt, das ist Quatsch. Es ist wie mit der Lesebrille von seiner Mutter. Die sucht sie auch jeden Tag, und dabei hängt sie immer an einer Schnur um ihren Hals.

»Ganz in der Nähe sucht man nämlich nie!«, hat Vincent gesagt. Das war doch schlau von ihm.

»Aber wir hängen doch nicht an einer Schnur!«, hat Laurin geschrien und wollte sich totlachen. Er versteht nie was. Aber wenigstens hat er nicht mehr wegen dem Blut geheult.

Dafür hat Fritzi ein bisschen gejammert, weil sie so durstig war von dem langen Weg. Da haben wir uns im Kreis ins Gras gesetzt und die Colaflasche kreisen lassen. Immer wenn man einen Schluck getrunken hatte, musste man die Flasche an den linken Nachbarn weitergeben. Meine linke Nachbarin war Tieneke.

Vincent hat gesagt, eigentlich ist es genau wie bei den Indianern, wenn sie die Friedenspfeife rauchen.

»Darum wollen wir jetzt auch einen Schwur schwören«, hat er gerufen.

Und Petja hat gesagt, genau, das wollte er schon die ganze Zeit vorschlagen. Das war doch mal wieder typisch. Nie darf jemand anders eine gute Idee haben.

Vincent hat gesagt, von jetzt an müssen wir immer aufstehen,

bevor wir unseren Schluck trinken dürfen. Er hat uns auch den Schwur vorgesprochen, und wir mussten ihn dann nachsprechen:

»Ich schwöre diesen heiligen Eid, dass ich in dieser Wildnis leben will, bis ich sterbe und tot bin. Niemals will ich meine Freunde verraten, nicht mal, wenn man mir die Hand abhackt. Und ich will meine Speisen und alles mit ihnen teilen. In Düsternis und Gefahr, in Sonne und Licht, Amen.«

(Ich kann es auswendig, ich habe es ja so oft gehört.)

Es war sehr feierlich. Ich finde vor allem das mit der Düsternis und Gefahr und der Sonne und dem Licht so schön.

Aber Laurin hat sich natürlich wieder tausendmal versprochen. »In Düsternis und was noch mal, Vincent?«, hat er ge-

fragt. Aber Sonne und Licht hat er richtig hingekriegt. Darum durfte er dann auch seinen Schluck trinken.

Danach hatten wir alle keinen so schrecklichen Durst mehr, und Petja hat gesagt, es wird Zeit, dass wir uns eine Hütte bauen. Sonst haben wir nachher in der Nacht kein Dach über dem Kopf.

Darum haben wir Zweige von den Büschen gerissen (das soll man ja sonst nicht, weil Büsche auch ein Leben haben, aber jetzt war leider ein Notfall), und dann haben wir sie zwischen die Zweige von drei anderen Büschen gesteckt, die schön dicht zusammenstanden. Eine ganz richtige Hütte war es vielleicht nicht, aber Petja hat gesagt, fürs Erste reicht sie. Wenn wir später mal arbeiten und Geld verdienen, können wir uns auch

echte Bretter kaufen. Aber für die erste Nacht ist die Busch-
hütte wohl gut genug.

Da hab ich mir vorgestellt, wie es dunkel wird und wir alle zusammen in der Hütte sitzen, und das war so ein glückliches Gefühl. Ich finde eine Hütte zum Schlafen eigentlich sogar noch
schöner als unser Haus. Ich weiß gar nicht, warum die Menschen nicht viel öfter mal ausreißen.

Plötzlich hat Vincent gesagt, es gibt ein Problem. »Da passen
wir doch niemals alle rein!«, hat er gesagt. »Da ist doch viel zu
wenig Platz für sieben Leute!«

Jul hat vorgeschlagen, dass wir ja mal Probeliegen machen können. Sie ist zuerst in die Hütte gekrochen und hat sich auf den
Boden gelegt und sich ganz dünn gemacht. Dann ist Fritzi rein-
gekrabbelt und danach ich. Aber obwohl wir alle den Bauch eingezogen haben und sogar noch die Luft angehalten, hat von
Tieneke nur noch der Kopf reingepasst. Und für die Jungs war
überhaupt kein Platz mehr.

»Na und?«, hat Petja gesagt. »Nachts brauchen wir sowieso
Leute, die draußen Wache gehen, abwechselnd. Die müssen
schon mal nicht mit rein in die Hütte. Oder wolltet ihr vielleicht
hier in der Wildnis ohne Wachen schlafen? Aber echt!«

Da hab ich gedacht, dass es bestimmt sehr gemütlich ist, mit
Fritzi und Jul und der halben Tieneke in der Hütte zu schlafen.
Aber Wache sein und im Dunkeln allein um den Feuerwehr-
teich laufen wollte ich vielleicht nicht so gerne.

Das habe ich aber nicht gesagt.

Laurin hat angefangen zu jammern, weil er so hungrig war, und
da hab ich erst gemerkt, dass mein Magen auch geknurrt hat
wie ein Bär. Das hat ja gut in die Wildnis gepasst.

Petja hat gesagt, kein Problem. Die Großen gehen jetzt sowieso los, um was zu essen zu besorgen. Die Großen waren natürlich Vincent und Petja und Jul.

Wir sollten in der Hütte auf sie warten, und das hat zuerst auch ganz viel Spaß gemacht. Tieneke und ich haben den Boden mit einem Zweig gefegt, und die beiden Kleinen (das waren Fritzi und Laurin) haben wir losgeschickt, damit sie Gras rupfen sollten.

Das haben wir dann auf den gefegten Boden gelegt. Tieneke hat gesagt, sie möchte nachts nämlich gerne weich schlafen.

Dann haben wir Blätter oben in die Colaflasche gesteckt und so getan, als ob sie eine Blumenvase wäre. Wir haben uns alle vier in die Hütte gequetscht und die Blumenvase in die Mitte gestellt und gespielt, dass wir uns in unserem einsamen Urwaldhaus vor unseren Verfolgern verstecken müssen.

Laurin hat ganz dicht am Eingang gesessen, darum hab ich ge-

sagt, dass von ihm aber draußen nicht der kleinste Fitz zu sehen sein darf. Sonst sind wir für die Verfolger ja eine leichte Beute.

»Nicht mal dein kleiner Zeh!«, hab ich gesagt.

Da hat sich Laurin seine Sandalen und seine Socken ausgezogen und den rechten Fuß durch den Eingang nach draußen gehalten. Mit den Zehen hat er immer in der Luft rumgewackelt.

»Hallo, Verfolger!«, hat er gerufen. »Fangt uns doch, fangt uns doch!«

Das hat er natürlich gemacht, weil er uns ärgern wollte.

»Mit dir kann man ja überhaupt nicht richtig spielen!«, hat Fritzi geschrien.

Es war uns aber sowieso schon ein bisschen langweilig geworden. In Wirklichkeit waren ja keine echten gefährlichen Verfolger da.

Und Tieneke hat gesagt, langsam können die anderen auch mal mit dem Essen kommen. Da sind wir aus der Hütte gekrabbelt und haben gesucht.

Und wirklich, da waren wir aber ziemlich böse!

Ich hatte gedacht, dass Petja, Vincent und Jul vielleicht zum Supermarkt gegangen waren, um da für uns saure Würmer und Milchschnitten zu kaufen oder wenigstens trockene Brötchen. Bestimmt hatte Vincent ja Geld eingesteckt, bevor er abgehauen ist. Er ist doch immer so schlau. Tieneke hat gesagt, das hatte sie auch gedacht.

Aber man stelle sich vor, als wir aus der Hütte gekommen sind, haben Petja und Vincent und Jul ganz gemütlich am Feuerwehrteich gesessen und geangelt. Da hätten wir ja auch gut mitmachen können!

Für die Angeln hatten sie Stöcke genommen. Petja und Jul hatten eins von ihren Schuhbändern als Angelschnur an ihrem Stock. Aber Vincent muss ja immer noch Sandalen tragen, darum hat er sich ein Schuhband von Jul geliehen.

Das Problem war nur, hat Petja gesagt, dass sie keine Köder hatten. Und ohne Köder wollen die Fische nie so gut beißen.
»Ich such einen Regenwurm!«, hat Laurin geschrien.
Das war doch dumm von ihm. Es hatte ja schon so lange nicht mehr geregnet, da war der Boden ganz trocken. Und darum gab es natürlich keine Würmer. Aber ich habe gedacht, es ist besser, dass wir Sonne und *keine* Regenwürmer haben, als wenn wir Regenwürmer und Regen hätten. Ich glaube nicht, dass unsere Hütte bei Regen so gemütlich ist. Bestimmt ist das Dach nicht ganz dicht.
Tieneke und Laurin und Fritzi und ich haben uns auch Stöcke

gesucht und dann haben wir die Schnürsenkel aus Tienekes und meinen Turnschuhen daran gebunden.

Petja hat gesagt, das sollen wir ruhig machen. Sieben Leute fangen logisch mehr als drei.

Das hat aber leider nicht gestimmt. Ohne Köder wollen die Fische überhaupt nicht beißen. So blöde sind die ja nun auch nicht. Laurin hat gesagt, er merkt schon, wie er anfängt zu verhungern.

»Mein Bauch ist schon«, hat er gesagt.

»Was ist dein Bauch schon?«, hat Vincent gefragt.

»Verhungert«, hat Laurin gesagt. »Ich glaub, jetzt verhungern meine Füße.«

»Du bist ja blöde!«, hat Petja geschrien. »Man verhungert doch nicht in kleinen Stücken! Man verhungert immer gleich ganz!«

Das fand ich aber auch keinen schönen Gedanken. Ich wollte überhaupt nicht verhungern, nicht in Stücken und auch nicht ganz.

Tieneke hat gesagt, sie auch nicht, aber sie merkt auch schon, wie es in ihrem Magen immer knurrt und knurrt.

Zum Glück ist uns da eingefallen, was wir machen konnten. Natürlich durften wir nicht von unseren Verfolgern gefunden werden, weil wir vor denen ja ausgerissen waren. Aber fremde Leute durften uns finden, und dann konnten die uns retten und uns was zu essen geben.

»Aber hier findet uns bestimmt keiner«, hab ich gesagt.

»Von alleine nicht«, hat Tieneke gesagt und zur Hütte zurück gezeigt.

Und da wusste ich auch schon, was sie meint.

»Flaschenpost!«, hab ich geflüstert.

Darum sind wir dann unauffällig zur Hütte zurückgeschlendert. Wir wollten nicht, dass Petja oder Vincent oder Jul sehen sollten, was wir machen. Die hätten uns doch nur verboten, unser Geheimversteck in einer Flaschenpost zu verraten.

Zum Glück hatte Tieneke in ihrer Hosentasche noch die Liste, die wir aufgeschrieben hatten, als wir Zoohandlung gespielt haben. Darauf standen die Preise für Heu und Streu und Kaninchenleinen (für Futter nicht, weil wir da den Preis nicht genau wussten). Aber das konnten wir ja durchstreichen, und dann konnten wir einen Lageplan zeichnen und aufschreiben, wo die Leute uns finden konnten und dass sie gleich ordentlich zu essen und zu trinken mitbringen sollten.

»Gib mal einen Stift«, hab ich zu Tieneke gesagt.

Aber natürlich hatte sie keinen dabei. Nicht mal einen winzig kleinen Buntstiftstummel. Und ich hatte auch keinen.

»Wir können die anderen fragen«, hat Tieneke gesagt. Aber ich hab ihr einen Vogel gezeigt.

Bestimmt hat nicht mal Vincent einen Stift in seiner Hosentasche. Das hat nämlich kein Mensch. Nur die Leute in Filmen immer, die auf einer einsamen Insel landen und nur durch eine Flaschenpost gerettet werden können. Es ist wirklich ein Glück für sie, dass sie immer Stifte in den Taschen haben. Vielleicht stecke ich in Zukunft auch immer einen ein. Vorsichtshalber. Falls ich mal wieder eine Flaschenpost schreiben muss. Aber nicht meinen allerschönsten pinken Gelstift.

»Dann müssen wir eben verhungern«, hat Tieneke düster gesagt. »Wenn wir nicht schreiben können.«

Aber ich hab gesagt, wir können die Liste ja auch einfach so in die leere Colaflasche stecken. Und wenn dann jemand die

Flaschenpost findet mit der Liste drin, versteht er vielleicht, dass die Post von Menschen in einer wirklich schlimmen Notlage kommt. Weil sie noch nicht mal eine richtige Flaschenpost schreiben konnten.

»Und wie soll der uns finden?«, hat Tieneke gefragt. »Ohne Lageplan?«

Aber ich hab gesagt, so groß ist der Feuerwehrteich ja nicht. Wenn einer da eine Flaschenpost findet, kann er uns ganz leicht suchen.

Da hat Tieneke die Liste in die Flasche gesteckt und ich habe den Deckel zugeschraubt. Dann sind wir zum Teich geschlichen und haben die Flasche vorsichtig ins Wasser gelegt.

Tieneke hat gefragt, ob wir das dürfen oder ob es Umweltverschmutzung ist. Ich hab gesagt, es ist bestimmt Umweltverschmutzung. Aber in einem Notfall ist das erlaubt.

»Nur, wenn man sonst verhungert«, hab ich gesagt. Tieneke hat gesagt, das glaubt sie auch.

Dann haben wir uns hingesetzt und zugeguckt, wie die Flasche im Teich vor sich hin gedümpelt ist.

Plötzlich ist Petja gekommen. »Worauf wartet ihr?«, hat er gefragt.

Wir haben aber natürlich nichts geantwortet. Wir wollten nicht, dass er uns auslacht.

»Auf, auf, nach Hause!«, hat Petja gerufen.

Da waren wir aber richtig überrascht!

»Ich denk, wir bleiben hier für immer und ewig?«, hab ich gefragt. »Bis wir sterben und tot sind?«

»Ja, logisch, aber erst beim nächsten Mal«, hat Petja gesagt.

Und er hat uns erklärt, dass wir beim nächsten Mal das Abhauen besser vorbereiten müssen. Dann nehmen wir auch Essen und Trinken mit.

»Mit Kohldampf im Bauch ist das doch Scheiß«, hat er gesagt und mit einem Stein nach der Colaflasche gezielt. Er hat sie sogar getroffen. Den Zettel hat er zum Glück nicht gesehen.

»Die Hütte ist aber so niedlich!«, hat Fritzi gejammert, und das hab ich auch gefunden. Es war doch schade, dass wir da jetzt nicht schlafen konnten.

Aber als wir wieder auf der Hauptstraße waren, hab ich plötzlich angefangen, mich richtig ein bisschen auf zu Hause zu freuen. Ich hab mir vorgestellt, dass Mama und Papa gemerkt haben, dass wir verschwunden waren. Da sind sie ganz aufgeregt geworden und haben die Polizei angerufen. Dann haben alle Eltern aus unserer Reihe gesucht und gesucht, aber natürlich konnten sie uns nicht finden. Und vielleicht haben sie sogar geweint. (Nur Zita-Sybil natürlich nicht, weil ihre Jungs doch eigentlich Stubenarrest haben sollten.)

Ich hab ein richtig gruseliges Gefühl im Bauch gekriegt, weil Mama mir so Leid getan hat, und ich bin extra ein bisschen schneller gegangen. Petja hat sogar angefangen zu rennen. Er hat aber gesagt, es ist nur wegen dem Kohldampf.

Als wir in den Möwenweg eingebogen sind, war ich ein bisschen überrascht, dass vor unserer Reihe kein Polizeiauto geparkt hat.

»Hallo!«, hab ich ganz laut gerufen und Tieneke nicht mal mehr »Tschüs!« gesagt, als sie an ihrer Haustür geklingelt hat. Mama und Papa sind aber überhaupt nicht aus dem Haus gestürzt gekommen.

Dabei stand die Haustür offen. Maus hat auf den Platten gekniet und Kies in ein altes Gurkenglas geschaufelt.

»Immer lasst ihr mich nie mitmachen!«, hat er böse gesagt. »Aber ich hatte zwei Eise, ätschibätschi!«

Da bin ich vor Hunger fast ohnmächtig geworden.

In der Küche stand Papa auf der Leiter und Michael hat ihm eine Tapetenbahn hochgereicht. Sie hatten schon drei Wände fertig tapeziert.

Im Wohnzimmer hat Mama gerade sechs Teller auf unseren schönen Wohnzimmertisch gestellt. Der Esstisch war ja weggeräumt.

»Prima, Tara, holst du mir mal das Besteck?«, hat sie gesagt, ohne richtig hochzugucken.

Da hab ich gemerkt, dass sie mich noch nicht mal vermisst hatte. Man stelle sich vor, sie hatten alle noch nicht mal gemerkt, dass wir ausgerissen waren! Da hat es sich ja gar nicht gelohnt.

Am Nachmittag hab ich zu Tieneke gesagt, dass wir es beim

nächsten Mal aber wirklich besser machen müssen, wenn wir abhauen. Wir nehmen nicht nur Esssachen und Trinksachen mit, sondern auch einen Bleistift für die Flaschenpost (Tinte verwischt ja im Wasser) und Köder für unsere Angeln. Und zu Hause legen wir überall Zettel hin, wo draufsteht, dass wir ausgerissen sind und niemals mehr wiederkommen.

Das fand Tieneke eine gute Idee. Ihre Eltern hatten nämlich auch nicht gemerkt, dass sie abgehauen war.

Aber das Mittagessen an dem Samstag war das allerbeste in meinem ganzen Leben. Obwohl es Erbsensuppe gab. Ich habe zwei große Teller leer gegessen und Petja hat sogar drei Teller leer gegessen, und Papa hat gesagt, man könnte ja direkt glauben, wir wären auf einer Expedition gewesen, so hungrig, wie wir wären.

»Waren wir auch«, hat Petja gesagt.

Ich glaube, es gibt nichts auf der Welt, wovon man so hungrig wird wie vom Ausreißen.

8

Es regnet und wir backen
Pfannkuchen

Am Montag hat es fürchterlich geregnet. War das nicht ein Glück? Es hätte ja auch am Samstag regnen können, als wir ausgerissen sind, und dann hätten wir gar nicht gemütlich in unserer Hütte sitzen können.

Tieneke ist zu uns gekommen, weil ihre Mutter montags immer arbeitet, und weil uns nichts eingefallen ist, was wir spielen konnten, haben wir Fritzi und Jul angerufen. Fritzi hat ihre Barbies mitgebracht.

Aber das war auch nicht so gut, weil wir für Barbies eigentlich schon längst zu groß sind. Nur Fritzi vielleicht noch nicht.

Darum haben wir uns ins Wohnzimmer gesetzt und den Fernseher angeschaltet. Mama war ja zum Einkaufen.

Wir konnten aber nichts Gutes finden, darum haben wir Zappen gespielt, das spiel ich auch manchmal mit Petja und Maus. Man muss sagen, wer der Nächste ist, der jetzt beim Zappen im Fernsehen kommt, also zum Beispiel: »Wer jetzt kommt, ist Tieneke.« Und dann zappt man, und dann steht da vielleicht ein dicker Mann mit einem Mikrofon in einem fremden Land und das ist dann Tieneke. Wir müssen dabei immer ziemlich viel lachen.

Als ich dran war, durfte Tieneke grade zappen, und sie hat einen Musiksender eingeschaltet. Da ist eine sehr, sehr schöne Frau mit einem Schleier über einen Strand geschwebt und hat gesungen. Da hatte ich ja Glück, dass ich so eine schöne junge Frau war.

Aber Jul hat gesagt, es ist Beschummel. Bestimmt hat Tieneke mit Absicht VIVA gedrückt, weil sie meine Freundin ist, und bei VIVA sind immer schöne junge Frauen. Das weiß ja jeder.

Und wenn die anderen dran sind, drückt Tieneke blöde Nachrichten-Sender und man muss ein hässlicher Mann mit einer Glatze sein.

Wir hätten uns fast gestritten, aber dann durfte Fritzi bei Jul zappen, und sie hat auch VIVA genommen. Da war Jul gleich vier schöne junge Frauen in einer Band, und da war sie wieder zufrieden.

Ich durfte für Fritzi drücken, und weil sie doch erst in der ersten Klasse ist, habe ich den KIKA genommen. Aber leider war da grade ein Märchenfilm, und ein gefährlicher, grässlicher Drache hat Feuer gespien und geschrien, dass er jetzt alle, alle auffrisst.

»Haha, du bist ein ekliger Drache!«, hat Tieneke gerufen, und Fritzi hat geschrien: »Bin ich gar nicht!«, und wollte schon fast wieder anfangen zu weinen.

Ich glaube nicht, dass ich in der ersten Klasse so viel geheult habe.

Dann ist die Tür aufgegangen und die Jungs sind reingekommen. Sie hatten in unserem Keller mit dem Kicker gespielt, aber jetzt hatten sie keine Lust mehr. Sie hatten den Fernseher gehört und da wollten sie auch mitgucken.

Darum haben wir lieber schnell aufgehört, Zappen zu spielen. Petja lacht einen immer gleich aus, wenn man eine Kröte ist oder ein fetter Sumo-Ringer, und wenn bei ihm selber dann vielleicht rauskommt, dass er eine Frau ist oder noch was Schlimmeres, wird er auch immer gleich wütend. Darum haben wir lieber Werbungsraten gespielt.

Wenn man Werbungsraten spielt, muss man zuerst einen Sender suchen, auf dem gerade Werbung läuft. Dann versucht man immer so schnell wie möglich rauszukriegen, wofür eine Werbung ist, und das ruft man dann ganz laut. Es hat aber nicht so viel Spaß gemacht, weil Tieneke immer die Erste war, die gerufen hat, und immer alles wusste. Sie darf ja von uns allen am meisten Fernsehen gucken.

Und Vincent und Laurin wussten überhaupt nichts. Die gucken zu Hause nur sonntags die Sendung mit der Maus. Da hatten sie ja keine Chance.

Petja und ich wussten manchmal was und Fritzi und Jul auch. Aber so viel wie Tieneke wusste keiner.

Die Jungs haben dann einen Sender gesucht, auf dem geschossen wurde, und da war es uns langweilig und wir sind weggegangen.

Ich habe vorgeschlagen, dass wir noch ein hübsches Schild für den Kaninchenstall malen könnten, auf dem »Puschelchen und Wuschelchen« steht. Damit man weiß, wer da wohnt.

Aber das wollte Tieneke nicht. Sie hat gesagt, ich durfte alleine das Kreuz bemalen und darum darf sie jetzt alleine auf den Käfig schreiben. Das fand ich ziemlich ungerecht, weil das Kreuz ja gar nicht mehr im Garten stehen durfte. Aber Tieneke hat gesagt, das ist eben mein Pech.

Zum Glück ist da Mama vom Einkaufen zurückgekommen, und wir haben sie gefragt, was wir spielen können.

»Na hört mal!«, hat Mama gesagt. »Das müsst ihr doch selber wissen! Da gibt es doch nun wirklich tausend Dinge!«

Aber als Jul gesagt hat, dann soll sie uns die doch mal sagen, hat Mama sich auch nur an der Stirn gekratzt.

Dann hat sie Schminken vorgeschlagen und dass wir ein schönes Bild für die Kühlschranktür malen und Blockflöte spielen und sogar Fernsehen. Aber das hatten wir ja gerade geguckt.

»Dann fällt mir auch nichts mehr ein«, hat Mama gesagt.

Aber da ist *mir* etwas eingefallen!

»Wir können ja das Mittagessen kochen!«, habe ich gerufen. »Dann hast du gar keine Arbeit, Mama. Dann kannst du bügeln.«

Mama hat ein bisschen nachdenklich geguckt, aber dann hat sie gesagt, vielleicht ist das gar keine schlechte Idee. Sie weiß ja, dass ich eine gute Köchin bin.

Und das stimmt auch wirklich. Ich kann in unserer Familie die allerbesten Pfannkuchen machen, das sagt sogar Petja.

Ich habe also vorgeschlagen, dass wir Pfannkuchen backen könnten, und das fanden Tieneke und Fritzi und Jul auch gut.

Mama hat gesagt, es gibt nur ein kleines Problem, weil sie nicht genügend Eier hat.

Aber Eier kann man sich ja ausleihen. Wir haben meinen Regenschirm mit den kleinen Herzen drauf genommen und sind zu Oma Kleefeld gerannt. Die hatte uns im Frühjahr nämlich schon mal zum Pfannkuchen-Essen eingeladen, darum hat Jul gedacht, dass sie bestimmt immer Eier im Haus hat.

»Nanu, nanu, Überraschungsbesuch?«, hat Oma Kleefeld gefragt, als wir bei ihr geklingelt haben. »Fällt euch bei diesem Wetter die Decke auf den Kopf?«

Wir haben gesagt, dass die Decke das nicht tut, aber wir möchten gerne Pfannkuchen backen. Und dazu fehlen uns die Eier.

»Da will ich mal gucken, ob ich euch helfen kann«, hat Oma Kleefeld gesagt. Und als sie wiedergekommen ist, hatte sie nicht nur die Eier, sondern auch noch eine ein bisschen schlappe Gurke für Wuschelchen und Puschelchen und eine Tafel Schokolade für uns. Weiße Luftschokolade. Die mag ich sowieso am liebsten.

Aber am allermeisten haben Tieneke und ich uns über die

Gurke gefreut. Weil wir nun bei dem schrecklichen Regen nicht losgehen mussten, um Löwenzahn zu pflücken.

Eigentlich müsste *ich* natürlich sowieso nicht Löwenzahn pflücken gehen, weil es ja nicht *meine* Kaninchen sind. Aber ich finde, wenn man eine beste Freundin hat, muss man ihr auch im Regen helfen.

In unserer Küche haben wir zuerst die Schokolade gerecht aufgeteilt. Wir wussten nicht genau, ob Oma Kleefeld sie nur uns Mädchen geschenkt hatte oder ob wir den Jungs auch was abgeben mussten. Aber dann ist sowieso Maus in die Küche gekommen und hat geschrien: »Schokolade! Ich will auch was!«

Und da mussten wir sie eben durch acht teilen. Darum hat leider jeder nicht so ganz viel abgekriegt, aber geschmeckt hat es trotzdem.

Mama hat gesagt, wir können schließlich nicht erwarten, dass Oma Kleefeld acht fremde Kinder mit Süßigkeiten voll stopft, bis sie platzen. Das haben wir auch nicht erwartet. Und außerdem sind wir für Oma Kleefeld ja nicht fremd. Ich würde es aber trotzdem schön finden, wenn ich mich mal mit Süßigkeiten voll stopfen dürfte, bis ich platze.

Dann haben wir mit den Pfannkuchen angefangen. Am liebsten hätte ich alles alleine gemacht, das kann ich ja. Aber dann wären die anderen vielleicht böse gewesen. Darum haben wir uns die Arbeit gerecht geteilt.

Zuerst haben wir alle eine Küchenschürze umgebunden. Nur Fritzi musste sich ein Küchen*handtuch* umbinden, weil Mama nämlich leider nur drei Schürzen hat.

Dann haben wir die Eier in Mamas große Rührschüssel geschlagen, immer abwechselnd. Es waren sieben Eier, da durften Tieneke, Jul und ich jeder zwei aufschlagen und Fritzi durfte nur eins, weil sie die Letzte war. Da hat sie schon wieder fast geweint.

Darum durfte sie ganz, ganz vorsichtig das Mehl dazuschütten, bis ich »Stopp!« gerufen habe, und dann durfte Tieneke mit dem elektrischen Rührgerät rühren. Danach hat Jul die Milch dazugeschüttet, bis ich wieder »Stopp!« gerufen habe, und danach durfte ich mit dem Rührgerät rühren, bis der Teig schön flüssig und ohne Klumpen und fertig war.

Wir haben den Teig mit der Schöpfkelle in die Bratpfanne gelöffelt. Mama hat mir gezeigt, wie das geht, als ich noch nicht mal zur Schule gegangen bin, und ich kann es gut. Sogar mit dem

Pfannenheber umdrehen kann ich die Pfannkuchen, damit sie nicht anbrennen und von beiden Seiten schön knusprig werden. Aber Tieneke hat gesagt, das ist ja keine Kunst. Das kann schließlich jeder. Ein *richtiger* Pfannkuchenbäcker schleudert die Pfannkuchen in die Luft, dass sie sich oben umdrehen, und dann fängt er sie auch mit der Pfanne wieder auf.

Das wollte ich aber nicht machen, darum hat Tieneke es selber ausprobiert.

Es hat natürlich nicht geklappt, und ihr Pfannkuchen ist ganz zerkrumpelt auf dem Fußboden gelandet. Zum Glück haben wir Fliesen, da macht es nichts.

Aber Tieneke war ziemlich böse. Sie hat gesagt, dass sie es schon mindestens tausendmal im Fernsehen gesehen hat, und da sieht es immer ganz leicht aus. Aber bestimmt haben die im Fernsehen wieder mal geschummelt. Bestimmt waren das gar keine schlabberigen Pfannkuchen aus echtem Teig, sondern nur welche aus Plastik.

Das habe ich aber nicht geglaubt.

Als der ganze Teig schön gebacken war, haben wir angefangen den Tisch zu decken. Wir haben Zucker hingestellt und Apfelmus und Teller und Gläser und Besteck. Und gerade als wir anfangen wollten unsere Pfannkuchen zu essen, sind natürlich die Jungs gekommen! Sie hatten so lange Fernsehen geguckt, dass es ihnen langweilig geworden war. Und nun wollten sie sehen, was wir Mädchen machen.

Wirklich, ist es nicht komisch? Immer kommen sie genau dann, wenn es etwas Gutes zu essen gibt!

»Schnupper, schnupper, schnupper!«, hat Petja gesagt. »Ich rieche, rieche ...«

»Menschenfleisch!«, hat Vincent gerufen. So heißt es ja im Märchen.

Aber da hatte er nun wirklich nicht Recht, auch wenn er sonst immer so schlau ist.

»Das ist doch kein Menschenfleisch, du Doofi!«, hat Maus gesagt und wollte sich gleich wieder kringelig lachen. »Das sind doch Pfannkuchen! Da will ich aber auch was abhaben!«

Und das wollten die Jungs alle. Natürlich gab es dann weniger Pfannkuchen für uns Mädchen, aber ich habe schon gewusst, dass das Essen mit den Jungs zusammen bestimmt lustiger wird. Darum haben wir noch mehr Teller auf unseren Küchentisch gestellt.

Die Stühle haben natürlich auch nicht ausgereicht, darum haben Tieneke und ich uns einen geteilt und Vincent und Laurin auch. Petja wollte nicht mit Maus zusammensitzen, darum ist Maus zu Fritzi gegangen. Da hatten Petja und Jul als Einzige einen Stuhl für sich ganz alleine. Jul hat gesagt, das ist sehr gerecht, weil sie auch die Ältesten sind.

»Ja, ja, Omi und Opi!«, hat Vincent ganz ernst gesagt. »Die brauchen jeder einen eigenen Stuhl für ihren dicken Popo. So viele Zipperlein haben die schon.«

Ich weiß nicht genau, was Zipperlein sind, aber ich finde, es ist ein schönes Wort.

»Haut rein, Kameraden!«, hat Petja gerufen und sich den obersten Pfannkuchen geschnappt. Dann hat er so viel Apfelmus draufgeklatscht, dass es mir wirklich peinlich war. Wenn man Gäste hat, muss man denen ja eigentlich was übrig lassen.

Es hat sich aber keiner beschwert.

Plötzlich hat Vincent »Stopp!« gerufen. Er hat vorgeschlagen, dass wir die Pfannkuchen nicht einfach so in uns reinstopfen. Wir sollen es machen wie beim Schokoladenessen, hat er gesagt. Das fanden wir alle eine gute Idee.

Wenn ich zum Geburtstag eingeladen bin, ist Schokoladenessen immer mein liebstes Spiel. Fast. Es gibt bei Geburtstagen ja so viele gute Spiele.

Wir haben also meinen pink-grünen Schal geholt und Papas Skimütze und meine grünen Fausthandschuhe und meinen Schneeanzug und zwei Würfel.

Dann haben wir alle gewürfelt und gewürfelt, und zuerst hat keiner zwei Sechsen geschafft. Das muss man ja, damit man anfangen darf. Aber dann hat Laurin »Ich! Ich!« geschrien, und tatsächlich, er hatte nicht geschummelt.

Er hat sich blitzschnell Papas Mütze aufgesetzt und den Schal umgebunden, aber er war so aufgeregt, dass er die Handschuhe angezogen hat, bevor er in den Schneeanzug gestiegen ist.

»Anziehen, Anziehen!«, haben wir geschrien, als er sich ganz ohne Schneeanzug einen Pfannkuchen nehmen wollte.

Da ist er in den Schneeanzug gestiegen, aber gerade als er den letzten Arm durch den Ärmel stecken wollte, hat Petja zwei Sechsen gewürfelt.

»Aufhören!«, hat er gebrüllt und Laurin die Mütze abgerissen und den Schal weggenommen. Er war ganz schnell fertig angezogen, obwohl er ja gar nicht mehr richtig in meinen Schneeanzug passt. Und dann hat er reingehauen, als ob er seit drei Wochen nichts mehr zu essen gehabt hätte.

Fritzi hatte als Nächste zwei Sechsen und danach Vincent. Für den war aber schon nicht mehr so sehr viel übrig.

Ich habe keine einzige Sechs gewürfelt, darum habe ich leider

gar nichts von unseren Pfannkuchen abgekriegt. Es ist aber nicht schlimm. Ich finde sowieso, es macht viel mehr Spaß, Pfannkuchen zu backen als sie zu essen.

Als Mama in die Küche gekommen ist, hatten wir das Geschirr schon in die Spülmaschine gestellt. War das nicht nett von uns? Vincent hat gerade den Tisch abgewischt. Mit Mütze und Schal und Handschuhen und Schneeanzug und allem.

»Nanu?«, hat Mama erschrocken gesagt. »Ist dir so kalt, Vincent? Soll ich mal Fieber messen?«

Da mussten wir alle lachen, und Petja hat gleich sein Fieberthermometer geholt. Aber ich habe Mama erklärt, dass wir nur mit den Pfannkuchen Schokoladenessen gespielt hatten. Das fand sie auch eine gute Idee.

Und weil Vincent so lustig aussah, wollten wir auch gleich noch Verkleiden spielen. Aber Maus hat ganz schrecklich geschrien, weil er mein allerschönstes Sommerkleid anziehen und ein liebes kleines Mädchen sein sollte, und da hat Jul gesagt, sie findet Verkleiden sowieso kindisch. Sie geht lieber nach Hause und macht ihr Tausender-Puzzle weiter.

Und Tieneke und Fritzi und ich sind mitgegangen und haben ihr geholfen.

Da ist es also doch kein so schrecklicher Regentag gewesen, finde ich.

(Will jemand mein Pfannkuchen-Rezept wissen? Es geht so:)

(Das ist jetzt für ein Kind. Aber du kannst es auch für mehr Kinder machen. Dann musst du aber rechnen, wie viel du brauchst. Tieneke sagt, sie findet das schwierig.)

Zuerst muss man sieben Esslöffel Milch, ein Ei, einen halben Teelöffel Zucker und eine winzig kleine Messerspitze voll Salz mit dem Mixer umrühren. Dann schüttet man zwei Esslöffel Mehl oben drauf. (Das muss aber mit einer Messerspitze Backpulver vermischt sein! Sonst werden die Pfannkuchen platt!) Und rührt und rührt. (Zu Anfang langsam, sonst spritzt es so), bis es schön flüssig ist. In einer kleinen Pfanne in Öl von beiden Seiten backen. Rausnehmen, Apfelmus drauf,

schon fertig!

9

Wir machen Popcorn
und ein Popkonzert

Aber ist das Wetter nicht manchmal gemein? Am nächsten Tag hat es immer noch geregnet!

Petja hat gesagt, da kann er gleich den ganzen Tag im Bett bleiben. Wir können seine Sklaven sein und ihm das Essen bringen.

Dazu hatte ich aber wirklich keine Lust.

Da haben zum Glück Fritzi und Jul angerufen und gefragt, ob wir rüberkommen wollen. Sie haben eine richtig gute Idee, was wir machen können.

Ich habe vorsichtshalber noch mal nachgefragt, ob Petja und Maus auch mitkommen sollten. Jul hat gesagt, ganz unbedingt.

Da hat Petja sich so blitzschnell angezogen, dass ich nicht glauben kann, dass er sich gewaschen hat. Und die Zähne geputzt schon mal gar nicht.

Als wir geklingelt haben, hat Fritzi die Tür aufgemacht und ist mit uns in den Keller gegangen. Vincent und Laurin waren schon da. Und Tieneke ist gleich nach uns gekommen.

Jul hat gesagt, wo doch das Wetter so schlecht ist, können wir ja was einüben. Das führen wir dann heute Abend unseren Eltern vor, und alle sind begeistert.

Wir waren auch begeistert. Tieneke hat gleich vorgeschlagen, dass wir einen Zirkus machen könnten und Puschelchen und Wuschelchen sind unsere dressierten Tiere.

Ich habe nicht geglaubt, dass man Puschelchen und Wuschelchen dressieren kann, aber ich habe es nicht gesagt. Weil ich nicht wollte, dass Tieneke verkracht mit mir ist.

Aber da hat Jul sowieso schon gesagt, dass Zirkus Babykram ist.

»Wir machen ein Popkonzert!«, hat sie gerufen, und das fanden wir alle gut. Vor allem Petja.

Er hat gesagt, die Jungs können eine Boygroup sein und wir Mädchen eine Girlgroup. Die No Angels oder die All Saints.

Das wollten wir gerne.

Jul hatte zum Glück drei BRAVO-CDs, und Tieneke hat ihren CD-Spieler von zu Hause geholt. Die Kellertür haben wir zugemacht, damit vor dem Konzert niemand was hören sollte.

Zuerst mussten wir uns ja die Stücke aussuchen. Die Jungs wollten die Backstreet Boys sein. Sie haben gesagt, heute Abend ziehen sie sich ganz schwarz an.

Maus hat gefragt, ob er auch mitmachen darf.

»Du kannst ja wohl nur *Hänschen klein* singen!«, hat Petja gesagt. »Geh du mal lieber zu deiner Nuckelflasche.«

Maus wollte schon grade wütend werden, aber da hat Vincent gesagt, na klar darf Maus mitmachen. Maus ist kein langweiliger Sänger, sondern er kann der Karten-Abreißer vorne am Eingang sein. Damit keiner reinkommt, der nicht bezahlt hat.

»Ich ganz alleine, Vincent?«, hat Maus gefragt, und Vincent hat gesagt, logisch. Aber wehe, wehe, wenn da heute Abend lauter Leute ohne Eintrittskarte im Keller sind. Da muss Maus schon ganz genau aufpassen.

Dann haben die Jungs ihr Stück angeschaltet und sie haben mitgesungen und immer so komische Bewegungen gemacht. Sie waren richtig albern und haben rumgehampelt, und Laurin hat sogar mit dem Mund Pupsgeräusche gemacht. Als ob die echten Backstreet Boys so was machen! Sie wollten sich aber alle totlachen.

Jul hat gesagt, die Jungs sind wirklich mal wieder nur peinlich und es ist ein Glück, dass die Erwachsenen uns so nicht sehen können.

Petja hat gesagt, zu viel Üben ist sowieso bescheuert. Wenn das Publikum nachher da ist, klappt es von ganz alleine.

»Echte Künstler brauchen immer Publikum«, hat er gesagt. »Dann sind sie erst richtig gut.« Vincent hat gesagt, das hat er auch mal gehört.

Dann sind sie gegangen. Sie haben wohl gedacht, dass sie genug geübt hatten. Ich weiß nicht, warum die Jungs immer so wenig Ausdauer haben.

Aber für uns war es nur praktisch. Man darf sich ja eigentlich nicht wünschen, dass das Publikum einen besser findet, aber ich habe trotzdem gehofft, dass heute Abend alle denken, die No Angels sind eine viel bessere Gruppe als die Backstreet Boys. Das habe ich aber nicht gesagt. Nur ganz für mich alleine gedacht.

Wir haben bestimmt eine Stunde lang geübt, und Jul wollte immer Leadsängerin sein. Tieneke und ich haben gesagt, bei jedem Lied darf eine andere, dann kommt jeder mal dran, aber

Jul hat gesagt, dann macht sie nicht mehr mit. Sie ist auf die Idee mit dem Popkonzert gekommen und die Älteste ist sie auch. Entweder sie darf singen oder sie macht nicht mehr mit. Da waren wir ein bisschen verkracht.

Fritzi hat gesagt, sie möchte sowieso nicht gerne singen, sie kennt die Wörter ja gar nicht. Und Tieneke war es dann auch egal. Sie wollte nur was Gutes anziehen, wie die echten No Angels.

Da war ich die Einzige, die noch mit Jul verkracht war, und das wollte ich auch nicht. Darum habe ich gesagt, ich finde es sowieso nicht wichtig. Weil der echte Gesang ja doch von der CD kommt und die Sängerin macht nur immer den Mund auf und zu.

Da waren wir wieder vertragen.

Als wir genug geübt hatten und es uns langsam langweilig geworden ist, hat Jul gesagt, jetzt müssen wir Einladungen schreiben und sie in die Briefkästen werfen. Sonst weiß ja kein Mensch Bescheid.

Tieneke hat vorgeschlagen, dass wir es unseren Eltern ja auch einfach nur *erzählen* könnten, aber das haben wir nicht so gut gefunden. Ohne Werbung ist es irgendwie kein richtiges Popkonzert.

Ich habe gesagt, ich kann die Einladungen mit meiner allerschönsten Schrift auf meinem Pferdebriefpapier schreiben, aber Jul wollte das nicht. Echte Werbung ist auch nicht handschriftlich, hat sie gesagt. Und mit Pferden machen wir ja heute Abend auch nichts. Wir müssen es mit dem Computer schreiben.

Darum sind wir zu Tieneke gegangen. Ihr Vater hat ein eigenes

Arbeitszimmer, weil Tieneke ja ein Einzelkind ist. Da brauchen sie ja nur *ein* Kinderzimmer.

Im Arbeitszimmer steht der Computer, aber Tieneke darf auch damit spielen, das ist nicht gelogen. Sie hat sogar einen ganzen Stapel CD-ROMs für sich ganz alleine.

Sie hat das Textverarbeitungsprogramm angeschaltet, und dann haben wir überlegt, was auf unserer Einladung stehen sollte. Obendrüber haben wir

Einladung

geschrieben, das war ja klar. Jul hat gesagt, dann kommt: »Zu einem Popkonzert mit den No Angels und den Backstreet Boys«, aber ich habe gefunden, man muss auch schreiben, dass es nicht die echten sind, sonst sind unsere Eltern nachher enttäuscht.

»Glaubst du echt, das wissen die nicht sowieso?«, hat Jul gesagt. Da hab ich gedacht, dass ich es Mama und Papa wenigstens noch heimlich erzählen will.

»Eintritt zwei Euro«, hat Jul gesagt.

Aber da fand Tieneke auch, dass das zu teuer ist. Weil wir ja nicht wirklich singen, und man kann auch nicht wissen, was die Jungs am Abend tun. Nachher machen sie nur lauter Blödsinn. Dafür ist zwei Euro zu teuer.

Wir haben also »Eintritt 50 Cent« geschrieben und »Beginn: 20 Uhr«.

Das fand ich ein bisschen spät, weil ich da sonst eigentlich schon immer fast ins Bett muss, aber Jul hat gesagt, echte Konzerte fangen manchmal sogar noch später an.

Dann hat Tieneke die Schrift ganz groß gemacht und ganz dick und bunt und mit einem Schatten hinter jedem Buchstaben. Es sah richtig gut aus, wirklich wie ganz echte Einladungen von einer echten Firma.

Wir haben sechs Stück davon ausgedruckt, für jedes Haus eine, aber als wir sie in die Briefkästen werfen wollten, hat Jul gesagt, Voisins kommen bestimmt sowieso nicht. Die mögen bestimmt keine Popmusik.

»Uns mögen die auch nicht«, hat Fritzi gesagt.

Da haben wir Voisins Einladung behalten. Die Rückseite kann man ja als Schmierpapier benutzen.

Aber Oma und Opa Kleefeld haben wir eine Einladung gebracht. Wir haben sogar geklingelt, weil ich gesagt habe, ihnen muss man aber erklären, dass es nicht die echten Backstreet Boys und die echten No Angels sind. Alte Leute kennen sich mit Popmusik nicht so aus.

»Ein Konzert?«, hat Oma Kleefeld ganz überrascht gesagt. »Und schon heute Abend?«

Fritzi hat gesagt, klar, noch länger müssen wir nicht üben.

»Muss ich vorher noch zum Friseur?«, hat Oma Kleefeld gefragt.

Wir haben ihr erklärt, dass es ein Popkonzert ist, und da geht man nicht zum Friseur.

Da war sie beruhigt und hat gesagt, dann kommen sie gerne.

Danach haben wir nicht mehr so richtig gewusst, was wir machen sollten, bis Tieneke zum Glück eingefallen ist, dass wir ja noch gar keine Stühle aufgebaut hatten. Darum haben wir den Jungs Bescheid gesagt und sie haben beim Schleppen geholfen.

Wir haben zwanzig Stühle hingestellt, sogar Tienekes und unsere Garten-Klappstühle auch noch. Obwohl wir ja wussten, dass nur neun Zuschauer kommen konnten. Aber mit neun Stühlen sieht es überhaupt nicht aus wie bei einem Konzert, finde ich. Mit zwanzig war der Keller richtig schön voll.

Dann hat Vincent vorgeschlagen, dass wir aber noch ordentlich Popcorn machen müssen. Weil es im Kino immer Popcorn zu kaufen gibt und im Zirkus auch. Nachher ist das Publikum sonst enttäuscht, wenn es bei uns nichts gibt.

Ich weiß nicht, ob bei Popkonzerten auch Popcorn verkauft wird, ich bin ja noch bei keinem gewesen. Ich fand es aber eine gute Idee.

Wir sind alle zu uns gegangen, weil Mama meistens Mais im Küchenschrank hat, und als wir ihr erklärt haben, wofür wir das Popcorn brauchen, hat sie es auch erlaubt. Man stelle sich vor, bis dahin wusste sie noch gar nicht, dass es am Abend ein

Popkonzert geben sollte! Sie hatte noch nicht in den Briefkasten geguckt.

Sie hat die Einladung dann aber gleich rausgeholt und gesagt, da freut sie sich richtig.

Wir machen öfter Popcorn, Petja, Maus und ich. Ich finde, es ist ein schönes Essen, weil man zweimal was davon hat. Es macht Spaß, wenn man es macht, und es macht Spaß, wenn man es isst.

Wir haben also Fett in die Pfanne getan, und als es heiß war, haben wir die harten Maiskörner dazugeschüttet. Mama tut immer einen Deckel auf die Pfanne, und dann hört man, wie die Körner darunter poppen. Ich fand aber, wir sollten es auch *sehen* können, dann ist es ja doppelt so lustig. Darum haben wir keinen Deckel genommen.

Und lustig war es auch wirklich. Als der Mais angefangen hat zu poppen, sind die Körner ganz hoch in die Luft gehüpft und sogar aus der Pfanne und durch die ganze Küche.

»Geil!«, hat Laurin geschrien und sich direkt über die Pfanne gebeugt, um besser zu sehen. Das hätte er aber nicht tun sollen. Ein Popcorn ist ihm gegen die Stirn gehüpft, und er hat fürchterlich geschrien.

Wir haben gesagt, dass er sich nicht so anstellen soll wegen so einem kleinen Popcorn, das ist doch ganz weich. Aber er hat geheult und geheult, und kann man so was glauben, als wir nachher in den Keller gegangen sind, habe ich gesehen, dass Laurin eine richtige Brandblase auf der Stirn hatte.

Von einem einzigen kleinen Popcorn! Da haben wir uns alle entschuldigt, dass wir ihn ausgelacht hatten. Aber Laurin hat gesagt, ist nicht so schlimm. Es tat sowieso nicht mehr weh.

Nur Vincent hat ein bisschen ängstlich geguckt. Ich glaube, er hat überlegt, ob ihre Mutter wohl böse ist, wenn sie die Brandblase sieht. Sie schimpft immer so leicht.

Als alle Körner gepoppt waren, haben wir sie in kleine Gefrierbeutel gefüllt und Puderzucker darüber gestreut.

Leider lag fast genauso viel Popcorn auf dem Fußboden, wie in der Pfanne war, aber Petja hat gesagt, das ist kein Problem. Das verkaufen wir trotzdem. So schmutzig ist unser Fußboden schließlich nicht.

Das hab ich auch gefunden.

Aber Maus und Fritzi und Laurin sind auf allen vieren durch die Küche gekrochen und haben so getan, als ob sie Hunde sind, und gebellt und das Popcorn mit dem Mund vom Boden gegessen. Da war für unsere Tüten gar nicht mehr so viel übrig.

Dass Maus so was macht, finde ich ganz normal, er ist schließlich erst vier. Aber von Fritzi und Laurin finde ich es sehr kindlich. Das hat Tieneke auch gesagt.

Danach haben wir gesucht, was wir anziehen konnten, und das war wirklich nicht so leicht.

Ich habe einen ganz kurzen Minirock, der ging gut, aber dazu konnte ich ja nicht einfach ein ganz normales T-Shirt anziehen. Mama hat mir ein schwarzes Top mit Spagetti-Trägern ausgeliehen. Die Träger hat sie mit Sicherheitsnadeln kürzer gesteckt.

Leider sind mir ihre Schuhe noch zu groß, sonst hätte ich auch gut hohe Absätze haben können.

Jul hat gesagt, am wichtigsten ist sowieso die Leadsängerin. Darum hat sie tausend verschiedene Sachen anprobiert, bis wir schon ganz genervt waren. Aber dann hat sie einen Minirock von Fritzi genommen, weil der doch noch kürzer war als ihr eigener, und eine Glitzer-Strumpfhose von ihrer Mutter. Da hatte sie ja Glück, finde ich. Weil Glitzer-Strumpfhosen wirklich profimäßig aussehen. Mama hat so was gar nicht.

Aber am allerwichtigsten ist sowieso das Schminken. Wir haben alle unsere Schminksachen geholt, und dann haben wir uns gegenseitig geschminkt, bis wir gar nicht mehr zu erkennen waren.

Ich habe mindestens ausgesehen wie sechzehn. Als ich in den Spiegel geguckt habe, war ich richtig erschrocken. Ich hatte gar nicht gewusst, dass ich so schön sein kann! Ich glaube, wenn ich älter bin, schminke ich mich jeden Tag.

Es war ziemlich anstrengend zu warten, bis es endlich acht Uhr war. Und dann habe ich auch noch Ärger mit Mama gekriegt, weil ich kein Abendbrot essen wollte.

Das ging aber wirklich nicht, weil ich doch so schön geschminkt war. Nachher wäre da beim Essen was verschmiert. Und Hunger hatte ich sowieso überhaupt nicht.

Um fünf vor acht sind die ersten Eltern gekommen, das waren die von Tieneke. Maus hat an der Kellertür gestanden mit einer sauberen Hose und seinem festlichen weißen Hemd. Mama hatte ihm sogar seine Fliege erlaubt. Die bindet er sonst eigentlich nur Weihnachten um.

»Haben Sie schon bezahlt?«, hat Maus gefragt, und als Tienekes Eltern »Nein« gesagt haben, hat er zwei Fünfzig-Cent-Stücke kassiert und ihnen zwei Eintrittskarten gegeben. Die hatte ich noch blitzschnell gemalt. Weil wir leider erst kurz vor dem Konzert gemerkt haben, dass wir vergessen hatten Karten zu machen.

Darum sind sie auch nicht ganz so schön geworden, aber das war nicht schlimm. Maus hat sie sowieso gleich wieder genommen und in lauter kleine Schnipsel zerrissen.

»Jetzt darfst du rein«, hat er gesagt.

Fritzis und Juls Eltern sind als Nächste gekommen.

»Da, bitte, das Eintrittsgeld, Herr Kassierer«, hat Michael gesagt und Maus eine Ein-Euro-Münze gegeben. »Zwei Karten bitte.«

Aber Maus wollte nur eine rausrücken. »Du musst mir noch eins geben«, hat er gesagt.

So ein dummes Kind! Er hat nicht verstanden, dass eine Ein-Euro-Münze genauso viel wert ist wie zwei Fünfzig-Cent-Stücke.

Da hat Michael ihm wirklich noch einen Fünfziger dazugegeben. Und das war doch gut. Nun hatten wir gleich mehr verdient.

Oma und Opa Kleefeld hatten sich extra richtig schön angezogen, wie alte Leute sich schön anziehen, und sie haben drei Riesenflaschen Cola mitgebracht.

»Weil die Künstler doch hinterher bestimmt durstig sind«, hat Oma Kleefeld gesagt. »Von der Scheinwerferhitze.« Dabei weiß sie doch, dass wir gar keine Scheinwerfer haben! Sie weiß aber auch, dass wir sonst nie Cola dürfen. Nur Tieneke.

Als alle Eltern da waren, hat Vincent Maus zugeflüstert, dass er jetzt nach vorne gehen und das Konzert ansagen muss. Man kann ja nicht einfach so anfangen. Das Publikum muss schon wissen, wann es endlich losgeht. Aber von uns wollte keiner Ansager sein. Das war uns viel zu peinlich.

Also hat Maus sich mit seinem schönen Hemd und seiner kleinen Fliege vorne hingestellt.

»Jetzt geht das los«, hat er gesagt, und die Erwachsenen haben ganz laut geklatscht.

»Bravo!«, hat Opa Kleefeld gerufen.

Nur dass Maus einfach vorne stehen geblieben ist, war nicht so gut. So konnten wir ja nicht anfangen zu singen.

Darum hat Vincent ihn schnell weggezogen, und Maus hat ganz laut geflüstert: »Hab ich das gut gemacht, Vincent? Hab ich das gemacht wie ein echter Mensch?«

Das konnten die Zuschauer bestimmt alles hören. Leider kennt Maus sich mit Konzerten noch nicht so richtig aus.

Dann hat Jul die CD eingeschoben und die Jungs sind nach vorne gesprungen und haben alle gleichzeitig mit dem rechten Arm so abgehackt aufs Publikum gezeigt. Nur Laurin hat natürlich wieder den linken Arm genommen. Es sah aber trotzdem gut aus.

Sie sind mit ganz eckigen Bewegungen rumgehüpft. Eigentlich sollten sie ja immer alle drei genau das Gleiche machen, das hat aber nicht so gut geklappt. Es war trotzdem nicht schlimm. Weil sie alle überall schwarz angezogen waren (nur Vincent hatte eine blaue Jeans), und es hat irgendwie auch immer zur Musik gepasst.

Nur ganz am Schluss ist Petja nach links gehüpft und Vincent nach rechts, und dabei sind sie mit vollem Karacho gegeneinander gedonnert.

Da mussten sie so lachen, dass sie überhaupt nicht mehr auf-

hören konnten. Das fand ich schade. Daran hat man ja gemerkt, dass es kein echtes Konzert war.

Als wir Mädchen nach vorne gegangen sind, hat Michael zwischen den Zähnen gepfiffen. »Wow!«, hat er gerufen. Das fand
ich nett von ihm.

Dann haben wir angefangen. Wir hatten ja alles richtig gut eingeübt, darum hat auch das meiste geklappt. Beim ersten Song
hat Jul noch richtig mitgesungen, aber dann hat sie immer nur
noch den Mund auf- und zugemacht, damit man nicht merken
sollte, dass sie die Worte gar nicht kennt.

Nach dem ersten Lied haben die Erwachsenen ganz laut geklatscht, und Opa Kleefeld hat sogar mit den Füßen getram-

pelt. Man sollte doch gar nicht denken, dass so ein alter Mann so was macht! »Zugabe!«, hat er geschrien.

Und die konnte er ja haben. Wir hatten schließlich drei Songs eingeübt.

Nach dem zweiten haben die Erwachsenen wieder geklatscht, aber ich habe genau gesehen, dass die Mutter von Vincent und Laurin schon aufgestanden ist. Sie dachte wohl, es ist zu Ende. Wir mussten aber noch das dritte Lied singen, und danach waren wir richtig aus der Puste. Wir haben uns verbeugt, immer genau gleichzeitig, das hatten wir vorher eingeübt, und die Zuschauer haben wieder geklatscht. Jetzt wussten sie ja, dass es wirklich zu Ende war.

Mama hat zu Zita-Sybil (das ist die Mutter von Vincent und Laurin) gesagt, das haben die Kinder doch richtig schön gemacht. Wenn man bedenkt, dass sie alles ganz alleine eingeübt haben.

Aber Zita-Sybil hat gesagt, wenn sie ehrlich sein soll, findet sie es schöner, wenn ihre Kinder richtig musizieren. Sie hält mehr davon, wenn sie ein Instrument spielen, hat sie gesagt.

Das fand ich mal wieder typisch. Ich kann ja auch Blockflöte spielen, aber das hat doch gar nichts mit einem Popkonzert zu tun. Blockflöte ist für Weihnachten, und ein Popkonzert ist ein Popkonzert. Das Publikum würde sich ja totlachen, wenn man da Blockflöte spielen würde.

Ich durfte dann noch mit zu Tieneke gehen, um Puschelchen und Wuschelchen zu füttern. Das hatte sie in der Aufregung ganz vergessen.

Ihre Mutter hat geschimpft, aber ich finde es viel schöner, wenn man die Tiere im Dunkeln füttert. Der Mond scheint so geheimnisvoll und die Geräusche sind auch so leise und man kann sich vorstellen, dass man in einer ganz anderen Welt ist.

Puschelchen und Wuschelchen haben sich aber ganz normal auf ihr Fressen gestürzt. Vielleicht sogar noch ein bisschen wilder als sonst.

Am nächsten Nachmittag durften wir Kinder uns dann bei Tieneke alle den Videofilm vom Konzert angucken.

»Ich bin im Fernsehen!«, hat Maus geschrien. Er war ganz aufgeregt.

Ich fand es auch toll, als ich uns im Fernsehen gesehen habe. Ich finde, man sieht dann irgendwie noch viel mehr aus wie ein richtiger Popstar. Aber irgendwie auch grade nicht. Jedenfalls konnte man genau erkennen, dass wir nicht die echten No Angels waren und dass Jul den Mund nur immer einfach auf- und zugeklappt hat wie ein Fisch. Und getanzt haben wir vielleicht auch nicht ganz so besonders echt.

Es war aber trotzdem schön. Vor allem, als man das Klatschen hören konnte und wie Opa Kleefeld »Zugabe!« geschrien hat.

Hab ich übrigens schon erzählt, dass wir das ganze Popcorn leider selber aufessen mussten? In der Aufregung vor dem Konzert hatten wir doch tatsächlich vergessen, es aus unserer Küche in Fritzis und Juls Keller zu bringen. Darum mussten wir es am nächsten Tag selber verdrücken. Es hat sehr gut geschmeckt.

10

Wir machen einen Ausflug
und Laurin rettet ein Tier

Am nächsten Tag hat zum Glück die Sonne wieder geschienen, darum sind wir alle zu Tieneke in den Garten gegangen und haben mit Puschelchen und Wuschelchen gespielt. Tieneke hat die beiden ins Gehege gelassen, weil sie bei dem Regen ja schon drei Tage immer nur im Käfig hocken mussten.

Sie haben sich auch sehr gefreut und waren überhaupt kein bisschen ängstlich. Tieneke, Fritzi, Jul und ich sind auch ins Gehege gestiegen. Da war es vielleicht ein kleines bisschen eng, weil das Gehege doch eigentlich nur für zwei Kaninchen gedacht war und nicht für zwei Kaninchen und vier Mädchen. Aber Puschelchen und Wuschelchen haben immer so an unseren Füßen geschnuppert, und da habe ich meine Sandalen und meine Socken ausgezogen und die kleinen Kaninchennasen haben richtig an meinen Zehen gekitzelt. Das fand ich so schön. Leider hat Tieneke wieder nicht erlaubt, dass wir Puschelchen und Wuschelchen auf den Arm nehmen durften. Aber wir durften sie festhalten, als sie ihnen ihre Kaninchenleinen umge-

bunden hat. Die hatte ihr Vater ihr einfach so gekauft! Obwohl
sie gar nicht Geburtstag hatte und nichts.
Sie waren aber sehr praktisch.
Tieneke hat das Gehege auf einer Seite aufgemacht, und dann
ist sie auf ihren Rasen gegangen und hat die Kaninchen an der
Leine hinter sich hergezogen. Puschelchen wollte immer in die
eine Richtung rennen und Wuschelchen in die andere. Da wusste Tieneke gar nicht, was sie machen sollte. Es hat sehr lustig
ausgesehen.

Ich wollte gerade sagen, dass doch Tieneke vielleicht immer die
eine Leine halten könnte und wir anderen abwechselnd die andere, da ist bei Voisins die Terrassentür aufgegangen.
»Nein, das geht nun aber wirklich nicht!«, hat Frau Voisin gesagt. »Es reicht mir schon, dass in eurem Garten immer diese
Tiere herumrennen, aber dass nun auch noch vier Kinder
Krach machen müssen, ist wirklich zu viel.«

Dabei hatten wir gar keinen Krach gemacht! Wir hatten nur ein bisschen gelacht. Mama sagt immer, Lachen ist ein schönes Geräusch.

Da wollte ich zuerst eine freche Antwort geben, ich habe es dann aber gelassen. Tieneke hat Puschelchen und Wuschelchen ins Gehege zurückgesetzt und wir sind lieber auf die Straße gegangen. Da können wir Krach machen, so viel wir wollen.

Und ich bin sehr froh gewesen, dass wir Voisins gestern keine Einladung zu unserem Konzert in den Briefkasten gesteckt haben. So was haben die gar nicht verdient.

Wir hatten noch immer schlechte Laune, da sind plötzlich die Jungs mit ihren Fahrrädern angekommen.

Petja hat gesagt, sie wollten eine Radtour machen. Wer weiß, ob es morgen nicht schon wieder regnet.

»Dürfen wir mit?«, hat Fritzi geschrien.

Und da hat Petja gesagt, wenn wir uns beeilen, dürfen wir.

Wir haben also unsere Fahrräder aus dem Schuppen geholt, und dann ist mir eingefallen, dass zu einer richtigen Fahrradtour auch ein Picknick gehört. Und eine Wolldecke.

Ich bin also zu Mama in die Küche geflitzt, und Tieneke und Fritzi und Jul sind zu ihren Müttern gegangen. Mama hat gesagt, natürlich kann ich ein Picknick kriegen. Sie hat nur nichts Besonderes für uns. Weil sie ja beim Einkaufen noch nicht wusste, dass wir eine Fahrradtour machen wollten.

Aber ich finde Brot mit Wurst und Käse auch gut. Dann kann man sich beim Picknick vorstellen, dass man ein armes Kind in einer alten Zeit ist. Da haben sie ja auch immer nur belegte Brote gehabt.

Und außerdem hab ich sowieso geglaubt, dass von den anderen bestimmt irgendwer etwas Gutes mitbringt.

Mama hat Petja gefragt, wo wir denn hinfahren wollen, und Petja hat gesagt, keine Ahnung. Jedenfalls ziemlich weit.

»Und ziemlich gefährlich!«, hat Laurin gesagt. Vincent und er waren einfach so in unsere Küche gekommen. Die Haustür stand ja offen.

»Nee, nee, gefährlich lieber nicht«, hat Mama gesagt, und dann hat sie vorgeschlagen, dass wir doch zu dem Abenteuerspielplatz fahren könnten, der hinten in den Feldern liegt. Das war vielleicht nicht ganz so weit, aber wir fanden es trotzdem eine gute Idee.

Maus hat ganz furchtbar gebrüllt, weil er nicht mitdurfte. Aber Mama hat gesagt, mit seinem kleinen Dreirad ist er zu langsam, und außerdem ist es für ihn auch noch zu gefährlich.

»Ist es gar nicht!«, hat Maus geschrien. »Laurin darf auch!«

Und als ich ihn trösten wollte und gesagt habe, dafür durfte er doch gestern die Eintrittskarten verkaufen, hat er nur nach mir getreten.

Da hat er mir auch nicht mehr Leid getan.

Wir waren ja schon mal alle (fast) mit Michael zum Badesee gefahren; aber ganz alleine hatten wir noch nie eine Fahrradtour gemacht. Ich hab gedacht, wie gut wir es doch haben, dass wir am Möwenweg wohnen und nicht mehr mitten in der Stadt. Da hätte Mama Petja und mich bestimmt nicht alleine losfahren lassen. Und Vincent und Laurin und Fritzi und Tieneke und Jul hätten wir ja sowieso nicht gekannt.

Wir sind auf dem Sandweg gefahren, der hinter unseren Gärten in die Felder führt. Zuerst war gar nicht viel los, aber dann sind wir plötzlich an eine riesengroße Pfütze gekommen, die war mitten auf dem Weg und bestimmt so lang wie unser Wohnzimmer. Da konnte man ja mal sehen, wie doll es in den letzten Tagen geregnet hatte.

Petja hat gebrüllt: »Alle Mann mit Karacho!«, und dann sind die Jungs hintereinander durch die Pfütze gerast. Es hat sehr gespritzt und bestimmt sind sie auch ein bisschen nass geworden. Es war aber ja so warm, dass sie sich bestimmt nicht erkältet haben.

»Die Weiber trauen sich nicht!«, hat Petja geschrien.

Nur weil wir nicht sofort hinterhergefahren sind! Es gab aber am Rand einen schmalen Grasstreifen, der war trocken und da konnte man auch fahren. Da haben wir eben zuerst überlegt, ob wir nicht vernünftig sein wollten.

Das wollten wir dann aber doch nicht. Wir waren ja noch nie durch so eine riesige Pfütze gefahren, und darum habe ich auch

»Alle Mann mit Karacho!« geschrien und wir haben ordentlich in die Pedale getreten.

Als Erste bin ich gefahren und hinter mir Tieneke und hinter Tieneke Fritzi. Nur Jul fand die Pfütze wohl wieder kindisch und ist ganz am Schluss auf dem Grasstreifen gefahren.

Das hat ihr aber auch nichts genützt. Als sie nämlich gerade neben der Pfütze war, haben die Jungs auf der anderen Seite

wieder umgedreht und sind zurückgefahren. Wieder mitten durch die Pfütze. Und natürlich genau, als Jul auch noch da war.

»Manno!«, hat Jul geschrien. Sie hatte nämlich ein ganz neues Top an, das hatte sie gerade erst gekriegt.

Aber sonst hat es uns nichts ausgemacht, dass wir ein bisschen nass geworden sind. Es war ja warm. Und weil wir doch jetzt sowieso schon überall Spritzer hatten, konnten wir schließlich auch noch weitermachen.

Wir sind immer hin- und hergefahren, und am Schluss hat sogar Jul mitgemacht. Aber dann ist Laurin plötzlich von seinem Fahrrad gesprungen. Mitten in der Pfütze. Und dabei hatte er Turnschuhe an und sogar von einer ganz teuren Marke.

»Anhalten!«, hat er geschrien. Ganz schrill. »Alle anhalten!«

Wir sind aber alle zuerst noch aus der Pfütze rausgefahren.

Mitten im Wasser ist eine Wespe geschwommen, die war schon fast ertrunken. Sie hat aber noch immer so gezuckt, daran konnte man sehen, dass sie noch ein bisschen gelebt hat.

»Ich rette die!«, hat Laurin gerufen. »Ich bin ja ein Tierfreund!«

Ich bin auch eine Tierfreundin, aber ich weiß nicht, ob ich eine Wespe retten würde. Das hat Tieneke auch gesagt. Nicht, wenn ich mir dabei meine Turnschuhe nass mache. Und wo Laurins Mutter doch sowieso immer gleich schimpft.

Laurin hat sein Fahrrad neben die Pfütze geschmissen, und dann hat er einen Zweig von einem Busch abgebrochen. Damit hat er nach der Wespe geangelt. Und wirklich, als der Zweig genau unter ihrem Bauch war, hat die Wespe sich mit ihren Beinen festgehalten und Laurin konnte sie in die Freiheit setzen.

Sie war aber noch ganz nass und taumelig und ist schrecklich langsam und torkelig auf dem Boden längsgekrabbelt. Als ob sie betrunken war.

»Arme kleine Wespe!«, hat Laurin gesagt.

Petja hat gesagt, Laurin spinnt wohl total. Wespen sind ganz gemeine Tiere.

»Die da nicht!«, hat Laurin gesagt und seinen Finger hingehalten, damit die Wespe darauf krabbeln sollte. »Die weiß ja, dass ich sie gerettet habe!«

Das hat die Wespe aber vielleicht doch nicht gewusst. Weil sie Laurin nämlich plötzlich gestochen hat, und dass er ihr Lebensretter war, hat sie gar nicht interessiert. Da hat Laurin ganz hoch und schrill geschrien und den Finger immer so in die Luft gehalten und ist auf einem Bein gehüpft.

»Aua!«, hat er gebrüllt. »Aua, Mama, aua!«

Ich weiß, dass Wespenstiche ziemlich wehtun. Mich hat auch schon mal eine gestochen.

»Wir brauchen eine Zwiebel!«, hat Vincent aufgeregt gebrüllt, und da ist mir auch wieder eingefallen, dass man ja eine aufgeschnittene Zwiebel auf den Stich halten kann, dann tut er bald nicht mehr weh.

Wir hatten alles Mögliche in unsrem Picknick, aber keine Zwiebel. Petja hat eine Scheibe saure Gurke von einem Leberwurstbrot genommen, die wollte er Laurin auf den Stich legen. Er hat aber nur noch fürchterlicher geschrien.

Dann habe ich eine Scheibe Sardellenwurst genommen, und Vincent hat Laurin ganz fest gehalten und ich habe ihm die Wurst um den Finger gewickelt.

»Das kühlt doch, Laurin, das kühlt!«, hat Vincent gerufen und Laurin nicht losgelassen. Obwohl der immerzu nach ihm getreten hat. Vincent hat uns nachher seine blauen Flecke gezeigt.

Fritzi hat natürlich auch angefangen zu weinen, aber nach einer Weile hat Laurin mit dem Schreien aufgehört und nur noch geschluchzt. Da haben wir ihn losgelassen, und ich hab die Wurst von seinem Finger genommen, und Laurin hat sich gebückt und den Finger in die Pfütze gehalten.

»Das kann eine Blutvergiftung geben!«, hat Vincent aufgeregt gesagt. Das war Laurin aber ganz egal. Er wollte nur, dass sein Finger nicht mehr so doll wehtun sollte.

Die Wurst wollte ich wegschmeißen, weil sie doch schon mal um einen Finger gewickelt war, aber Petja hat gesagt, ich bin wohl verrückt. Dann hat er sie gegessen.

Als wir endlich wieder fahren konnten, hat Vincent Laurin schwören lassen, dass er seiner Mutter niemals erzählt, dass er die Wespe vorher gerettet hatte. Das findet sie bestimmt nicht so gut, hat Vincent gesagt.

Jul hat vorgeschlagen, dass wir lieber nach Hause fahren sollten, damit Laurin einen Verband kriegen kann. Aber Laurin hat gesagt, jetzt will er das nicht mehr. Jetzt will er die Fahrradtour weitermachen.

Petja hat ihm die Hand auf die Schulter geschlagen und gesagt, dass Laurin für einen, der erst in die erste Klasse geht, ziemlich cool ist.

»Ich komm ja in die zweite«, hat Laurin gesagt. Dann hat er die Nase aufgezogen.

11

Wir gehen auf den Spielplatz
und lernen eine Geheimsprache

Auf dem Spielplatz war nicht viel los. Zwei Mütter mit ganz winzigen Kindern haben auf einer Bank gesessen und immer so zu uns hingeguckt. Mit dem ganzen Matsch an uns dran und allem sahen wir vielleicht ein bisschen aus wie unordentliche Kinder.

Die eine Mutter hatte einen kleinen Hund dabei, der durfte einfach so rumlaufen. Dabei sind Hunde auf dem Spielplatz doch eigentlich verboten! Ich habe mich aber trotzdem darüber gefreut. Es war ein sehr süßer kleiner Hund.

Tieneke und ich haben immer »Komm her, kleiner Hund, na komm!« gerufen, und da ist er auch wirklich gekommen und hat immer so mit seinem Schwanz gewedelt, als ob er uns schon ganz lange kennt.

Wir haben unser Picknick ausgepackt und ihm von allen Broten die Wurst gegeben. Das haben wir aber hinter der Halfpipe gemacht, damit die Frauen uns nicht sehen konnten. Manchmal mögen Leute ja nicht, wenn man ihre Hunde füttert. Nicht mal, wenn die hungrig sind.

Und der kleine Hund war hungrig, das hat man gesehen. Er hat die ganze Wurst ratz-fatz weggeputzt. Da hat Tieneke ihm auch noch zwei Schokoriegel gegeben.

Das hätte ich aber nicht getan. Schokolade ist nicht gut für Hunde, und außerdem hätte ich die Riegel auch gerne selber gegessen.

Als wir nichts mehr für ihn zu fressen hatten, ist der kleine Hund wieder zu seinem Frauchen gelaufen. Tieneke und ich haben geguckt, was wir nun tun konnten.

Die Halfpipe war ganz voller Graffiti, daran konnte man ja sehen, dass sonst meistens Jugendliche auf dem Spielplatz waren. Petja hat vorgeschlagen, dass wir die Halfpipe mit unseren Fahrrädern runterfahren könnten. Aber Jul hat gesagt, das ist viel zu gefährlich, und wenn die Jungs das machen, petzt sie es zu Hause. Da sind wir nur in das riesengroße Kletternetz geklettert.

Tieneke und ich haben uns nebeneinander auf zwei Schaukeln

gesetzt und versucht, immer ganz genau gleich zu schaukeln. Das war aber sehr schwierig. Darum haben wir uns an der Hand gehalten und zusammen geschaukelt. Das war ein richtig gutes Gefühl.

Wir haben auch Absprung gemacht, wer am weitesten kommt, und das war natürlich jedes Mal Jul. Und sie hat noch nicht mal geschummelt. Da hatten wir bald keine Lust mehr.

Als wir unser Picknick essen wollten, haben wir erst gemerkt, dass wir die Wolldecke zu Hause vergessen hatten. Und auf einer Bank saßen die beiden unfreundlichen Mütter, da wollten wir uns nicht auf die Bank daneben setzen. Also haben wir einfach so im Sand gepicknickt, das kann man ja auch. Aber so besonders gut hat es mir nicht geschmeckt. Ich hatte ja keine Wurst mehr auf meinem Brot, und Tieneke hatte auch keine mehr.

Und außerdem hat Laurin so ganz still dagesessen, und da hat Jul gesagt, nun müssen wir aber doch nach Hause fahren. Mit einem Wespenstich ist nicht zu spaßen. Da wollte Fritzi schon fast wieder weinen.

Vincent hat vorgeschlagen, dass wir auf der Rückfahrt alle nur Geheimsprache sprechen dürfen. Das macht Spaß.

Wir fangen mit einer einfachen an, hat Vincent gesagt. Damit auch Laurin und Fritzi mitmachen können.

Und zum Glück war die Sprache wirklich nicht schwierig. Man musste nur immer »ius« hinten an jedes Wort anhängen, das kann man ja leicht. Da hat es gleich ganz ausländisch geklungen.

»Ichius heißius Vincentius«, hat Vincent gesagt.

»Cool!«, hat Petja geschrien.

»Cool-*ius*!«, hat Jul gesagt.

»Hä?«, hat Petja gefragt. »Was?«

»Was-*ius*!«, hat Jul wieder gesagt.

Da hat Petja endlich begriffen.

»Duius tickstius jaius nichtius mehrius ganzius richtigius!«, hat er böse gesagt. Ganz langsam.

»Sieius istius jaius auchius keinius Weckerius!«, habe ich geschrien.

Jul hat gekichert und Tieneke auch, aber Petja hat wieder nur »Hä?« gesagt, und da haben Jul und Tieneke und ich ganz genau gleichzeitig »Hä-*ius*!« gesagt, und dann mussten wir so lachen, dass wir lieber ganz schnell weggefahren sind. Weil Petja ja geglaubt hat, wir lachen über ihn. Und das hat auch gestimmt.

Wir haben noch ziemlich lange in der »ius«-Sprache gesprochen und Tieneke hat erzählt, was im Fernsehen kommt, und Vincent hat uns ein Rätsel aufgegeben, das geht so:

»Hatius keineius Füßeius undius kannius dochius gehenius. Hatius keineius Beineius undius bleibtius dochius stehenius. Wasius istius dasius?«

In Geheimsprache ist so was ja schwierig. Jul hat es rausgekriegt (es ist nämlich eine Uhr), aber hinterher hat sie gesagt, eigentlich kannte sie es schon. Auf Deutsch. Darum wusste sie die Antwort.

Dann wollte Vincent uns noch eine schwierigere Sprache beibringen, da muss man immer den ersten Buchstaben vom Wort wegnehmen und hinten dranhängen und dann noch ein »i« dahinter. Ich zeig es jetzt mal: »Ara-ti«, das heißt Tara.

Man musste aber sehr viel nachdenken, und Petja hat gesagt,

immer nur Geheimsprache ist Scheiß. Laurin hat das auch gesagt.

Und als wir uns vielleicht fast gerade wieder verkracht hätten, haben wir vor uns auf dem Weg zwei Männer auf Fahrrädern gesehen, die sind auf uns zugekommen. Und man stelle sich vor, das waren Papa und Tienekes Vater!

»Habt ihr euch Sorgen um uns gemacht?«, habe ich gefragt.

Natürlich will ich nicht, dass Mama und Papa meinetwegen *richtig* Angst haben, aber ich finde es schön, wenn sie sich *ein bisschen* Sorgen machen. Dann weiß ich nämlich, dass sie mich lieb haben und dass ich ihnen fehle.

Das weiß ich aber eigentlich sowieso.

»Nein, wir hatten nur Lust auf eine kleine Fahrradtour«, hat Tienekes Vater gesagt.

Und Papa hat erzählt, als er von der Arbeit gekommen ist, hat Mama gesagt, dass wir eine Radtour machen. Da hat er auch Lust gekriegt. Und Tienekes Vater hat ihn auf dem Fahrrad gesehen und wollte mit. Da haben sie beschlossen, uns abzuholen, und das war doch nett.

Aber plötzlich hat Papa ganz erschrocken auf Laurins Finger geguckt. Der war inzwischen ja ziemlich dick und rot.

»Laurin!«, hat Papa gefragt. »Was hast du denn gemacht?«

Dann ist er abgestiegen und hat sich den Finger angeguckt. Und man stelle sich vor, da hat Laurin plötzlich angefangen ganz laut zu weinen! Und dabei war er vorher doch die ganze Zeit normal gewesen. Er hat seinen Kopf an Papas Brust gelegt und geweint und geweint, und Papa hat ihn so ein bisschen gestreichelt und gesagt: »Ist doch alles in Ordnung, Laurin! Jetzt sind wir ja da!«

Dann hat er mit uns geschimpft, weil wir mit Laurin nicht zu seiner Mutter zurückgefahren sind. Wir konnten aber ja nicht wissen, dass es so schlimm war. Laurin hatte ja den ganzen Tag nicht geweint.

Aber Jul musste natürlich wieder sagen, dass sie ihn ja gleich nach Hause bringen wollte.

Die Väter haben Laurin bei seiner Mutter abgeliefert, und Petja und ich sind zu Mama gegangen.

»Na, war's schön?«, hat sie gefragt.

Wir haben gesagt, ziemlich. Aber mehr konnten wir gar nicht erzählen, weil da Maus angeflitzt gekommen ist mit einem Marmeladenglas in der Hand.

»Ich hab jetzt auch ein Tier, ätschibätschi!«, hat er gerufen und das Glas hochgehalten.

Es war ganz mit Gras voll gestopft und im Deckel waren lauter Löcher. Da wusste ich ja schon, was es war.

»Ich hab einen Marini gefangen!«, hat Maus gesagt. »Für mich ganz alleine!«

»Na, geil«, hat Petja gesagt, aber ich hab mir das Glas angeguckt. Es war vielleicht ein bisschen viel Gras darin.

»So kann der dir ersticken, Maus«, hab ich gesagt. »Da ist es ja sehr eng.«

»Da ist das auch eng, wo die Kaninchen wohnen!«, hat Maus böse gesagt.

»Ja, aber die dürfen auch mal frei im Gehege laufen, Maus!«, hab ich ihm erklärt. »Und sich bewegen.« Tieneke will ja keine Tierquälerin sein.

In dem Augenblick ist Papa hereingekommen und hat gesagt, Zita-Sybil war ziemlich ärgerlich, weil wir ihren Sohn den ganzen Tag mit einem Wespenstich durch die Gegend geschleppt haben.

»Und wo sie Recht hat, hat sie Recht!«, hat Papa gesagt. »Petja, wirklich, von dir hätte ich eigentlich schon ein bisschen mehr Vernunft erwartet.«

Aber das war natürlich dumm von Papa. Ich bin ja immer viel vernünftiger als Petja. Mit dem Alter hat das gar nichts zu tun. Petja hat gerade erzählt, dass Laurin überhaupt gar nicht nach Hause *wollte*, da ist Maus von der Terrasse hereingestürzt gekommen und hat ganz laut geheult.

»Nicht noch eine Wespe!«, hat Papa gesagt. »Maus, was ist denn los?«

Da hat Maus gesagt (man konnte es aber gar nicht verstehen, weil er so geschluchzt hat), dass Tara gesagt hat, sein Marini erstickt in dem Glas und er braucht Auslauf im Gehege.

Dabei hatte ich das doch gar nicht gesagt! Maus hat es aber so verstanden.

»Und da hab ich ihn da reingetan!«, hat Maus geschluchzt. »Du Doofe! Da ist er mir weggeflogen! Du Doofe, du Doofe, du Doofe!«, und er hat immer gegen meinen Bauch geboxt.

Papa hat seine Hände festgehalten und gesagt, es heißt *geflo-gen*, nicht *gefliegt*, und jetzt muss Maus mal aufhören mit dem Wütigsein. Marinis kann man nicht in ein Gehege setzen. Die fliegen dann weg. Das können Kaninchen ja nicht.

Aber Maus wollte sich überhaupt nicht beruhigen.

»Du Pup-Arsch!«, hat er geschrien.

Papa hat gesagt, jetzt ist Schluss. Solche Wörter sagt man nicht. Und er wüsste doch auch mal gerne, wie Maus denn über-haupt zu dem Gehege gekommen ist. Schließlich musste er dazu ja durch Voisins Garten.

Da hat Maus immer nur die Lippen zusammengekniffen, und als Papa gesagt hat, nun muss Maus es ihm aber erzählen, hat er gesagt, er kann sich nicht erinnern.

»Ich hab das vergessen«, hat Maus gesagt. »Du, Papa. Wie ich da hingekommen bin.«

Papa hat gesagt, dann muss Maus morgen bei Frau Voisin klin-geln und sich dafür entschuldigen, dass er ganz aus Versehen durch ihren Garten gelaufen ist.

Mama hat gesagt, dass Frau Voisin Maus ja vielleicht gar nicht bemerkt hat.

»Das ist ganz egal«, hat Papa gesagt. »Entschuldigen muss er sich. Und außerdem *hat* sie ihn gesehen. Darauf kannst du Gift nehmen.«

Das habe ich auch geglaubt. Frau Voisin sieht uns ja immer.

Papa hat Maus an die Hand genommen und gesagt, so, und nun suchen sie beide ein neues Tier. Das Marmeladenglas soll Maus mal mitnehmen.

Das war aber leider noch im Gehege.

Ich hab mich in meinem Zimmer auf den Fußboden gelegt und

versucht, mir Sätze in der schwierigen Geheimsprache auszu-
denken. Wenn Tieneke und ich die ganz schnell sprechen können, können wir uns ja unterhalten und keiner versteht uns. So
was finde ich gut.
Ich freu mich schon so, dass wir in der Schule bald echtes Eng-
lisch lernen.

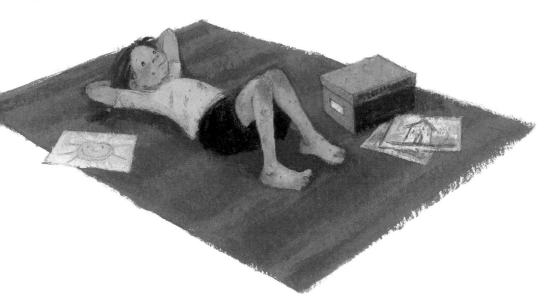

12

Ich passe auf die Kaninchen auf und Maus hat ein neues Tier

Am nächsten Morgen bin ich davon aufgewacht, dass Mama mich an der Schulter gerüttelt hat.

»Aufstehen, Tara!«, hat sie gesagt. »Tieneke ist da!«

Also bin ich im Nachthemd in die Küche geflitzt, und da stand Tieneke schon ganz angezogen und mit ihrem Haustürschlüssel in der Hand.

Sie hat gesagt, ihr Vater hat sich den Tag freigenommen und ihre Mutter musste heute ja sowieso nicht arbeiten, und darum wollten sie zusammen an die Ostsee fahren.

»Du darfst auf Puschelchen und Wuschelchen aufpassen!«, hat Tieneke gesagt und mir den Schlüssel gegeben.

Da bin ich auf einen Schlag wach geworden.

Zuerst hatte ich gedacht, dass sie mich auch zur Ostsee hätte mitnehmen können, aber jetzt war ich richtig froh, dass ich hier bleiben musste. Auf Tiere aufpassen macht ja viel mehr Spaß als baden.

Und es war doch nett von Tieneke, dass sie *mich* gefragt hat und nicht Fritzi und Jul. Aber ich bin ja natürlich auch ihre allerbeste Freundin.

Mama hat ein bisschen geschimpft, weil ich nicht mal frühstücken wollte, aber ich finde, wenn man sich um Tiere kümmern soll, darf man sie nicht warten lassen.

Ich bin also in Tienekes Garten gegangen (ich hatte ja den Schlüssel für ihr Haus, damit ich durch das Wohnzimmer gehen konnte und nicht durch den Garten von Voisins musste) und habe die Kaninchenleinen mitgenommen. Es war schon sehr warm, darum habe ich gedacht, dass Puschelchen und Wuschelchen nicht in ihrem Käfig schmoren sollten. Lieber wollte ich sie ein bisschen im Garten spazieren führen.

Es war gar nicht so einfach, ihnen ihre Leinen umzubinden, weil sie immer so gezappelt haben und aus dem Käfig hüpfen wollten. Ich habe es aber geschafft. Dann bin ich auf Tienekes Rasen mit ihnen spazieren gegangen.

Plötzlich hat von oben eine Stimme zu mir runtergerufen. Da standen Fritzi und Jul auf ihrem Balkon und haben mir zugeguckt. Sie haben gefragt, ob sie Puschelchen und Wuschelchen auch mal halten dürfen, und ich habe gesagt, wenn sie vorsichtig sind. Ich hatte ja die Verantwortung.

Ich fand es aber auch schöner zu dritt. Wir sind alle drei im Garten spazieren gegangen, und zwei durften immer eine Leine haben. Puschelchen und Wuschelchen haben gefressen und gefressen. Wenn man Kaninchen hat, braucht man wirklich keinen Rasenmäher mehr.

Und gerade als es angefangen hat, uns vielleicht ein *kleines* bisschen langweilig zu werden, hat drüben in unserem Garten plötzlich Maus nach mir geschrien.

»Guck mal, Tara!«, hat er gebrüllt. »Guck mal, was ich hab! Was für ein Tier ich hab!«

Da bin ich ganz dicht an die winzige, winzige Hecke zu Voisins Garten gegangen und habe zu uns rübergeguckt. Maus hat wieder das Marmeladenglas hochgehalten. Ich konnte aber nicht erkennen, was drin war.

Und vielleicht habe ich so doll versucht zu sehen, was Maus in seinem Glas hatte, dass ich die Leine nicht mehr richtig festgehalten habe. Oder vielleicht hat Wuschelchen auch einfach zu doll gezogen. Jedenfalls ist mir die Leine plötzlich zwischen den Fingern durchgewitscht.

Und da war mein kleines Babykaninchen abgehauen.

»Wuschelchen!«, hab ich geschrien. »Wuschelchen, komm zurück!«

Aber Wuschelchen war schon zwischen den Büschen verschwunden, mit der Leine und allem.

»Hilfe!«, habe ich geschrien. Ich konnte doch nicht durch die Hecke laufen, um ihn einzufangen! Da war ja Voisins teurer Rollrasen.

Aber genau in dem Augenblick ist gerade Petja auf unsere Terrasse gekommen. Im Schlafanzug. Und Petja ist ja noch nie so sehr gut erzogen gewesen. Darum war ihm Voisins Rollrasen wohl auch ganz egal. Jedenfalls ist er über die kleine Hecke gehüpft, die zwischen unserem Garten und dem von Voisins wächst (sie ist wirklich noch *sehr* niedrig), und dann ist er hinter Wuschelchen hergerast. Zum Glück hing an dem ja noch die Leine dran, die konnte Petja ganz leicht schnappen, und dann ist er über die andere Hecke gehüpft (die zu Tienekes Garten) und hat mir Wuschelchen zurückgegeben.

»Da«, hat er gesagt. »Gerettet.«

Aber ich hatte ja schon gewusst, dass Frau Voisin bestimmt wieder hinter der Gardine gelauert hat.

»Ist das hier seit neuestem eine Durchgangsstraße?«, hat sie gerufen. »Gestern der Kleine und heute du! Kann man hier denn überhaupt nie seine Ruhe haben?« Sie war ganz rot im Gesicht.

»Entschuldigung!«, habe ich gerufen, aber Fritzi hat geschrien: »Wir mussten das ja wohl holen! Das mussten wir ja wohl!«

Und da hab ich gewusst, dass Frau Voisin sich jetzt bestimmt wieder bei Mama beschwert.

Oben auf seinem Balkon hat Michael gerade die Bettdecken zum Lüften rausgehängt. Er hatte Spätschicht. Und er hat gesagt, dass Fritzi und Jul jetzt lieber mal nach Hause kommen sollten. Ab und zu hat Frau Voisin auch mal ein Recht auf ein bisschen Ruhe.

Da war ich mit Puschelchen und Wuschelchen wieder alleine.

Es war sehr heiß, und ich habe sie ins Gehege gesetzt und dann habe ich einen Gartenstuhl dazugestellt, damit sie einen Schatten haben sollten. Ich hatte Angst, dass sie sonst vielleicht einen Hitzschlag kriegen. Sie waren ja noch so klein.

Als es mir langweilig geworden ist, bin ich zu Fritzi und Jul in den Garten gegangen und wir haben ihr Planschbecken aufgeblasen und gespielt, dass es Sommer ist. Jul wollte nicht, dass wir sie nass spritzen, aber Fritzi und ich haben eine richtige Wasserschlacht gemacht. Da war das Planschbecken plötzlich fast ganz leer und wir mussten es mit dem Gartenschlauch wieder auffüllen.

Man kann sich gar nicht vorstellen, wie kalt das Wasser war! Wir haben richtig gebibbert.

Aber dann hat uns Michael noch schnell zwei Eimer heißes Wasser aus der Dusche gebracht, bevor er zur Arbeit gegangen ist. Das haben wir dazugeschüttet, da war es zum Sitzen gerade richtig.

Am Nachmittag mussten Fritzi und Jul mit ihrer Mutter einkaufen gehen. Sachen für die Schule. Weil die Ferien ja leider nicht ewig dauern.

Ihre Mutter hat gesagt, ich darf gerne mitkommen. Aber ich musste ja auf meine beiden Kaninchen aufpassen.

Darum bin ich wieder in Tienekes Garten zurückgegangen. Puschelchen und Wuschelchen haben im Gehege unter dem Gartenstuhl gelegen und sich ausgeruht. Vielleicht haben sie sich auch gelangweilt.

Darum bin ich nach Hause geflitzt und habe mein Buch geholt. Ich hatte gerade ein sehr spannendes aus der Bücherei ausgeliehen, da hat ein Junge seinen Hund verloren und man weiß nicht, ob das Verbrecher waren oder eine Tierfängerbande. Darum war es mir im Bett viel zu gruselig und ich mochte nicht weiterlesen.

Aber jetzt war es ja hell, und Puschelchen und Wuschelchen waren auch bei mir. Darum habe ich ihnen die Geschichte vorgelesen und sie haben auch ganz gespannt zugehört. Sie haben sich keinmal gemuckst, nur einmal hat Puschelchen an meinen Zehen geschnuppert.

Ich war mit dem Vorlesen schon fast am Schluss, wo der Junge seinen Hund wiederkriegt (es war doch keine Bande, zum Glück), da habe ich Tienekes Auto gehört und sie sind von der Ostsee zurückgekommen.

»War alles in Ordnung?«, hat sie gefragt.

Ich habe gesagt, dass es keine Probleme gab.

»Das war aber klug von dir, dass du den Kaninchen ein Schattendach hingestellt hast«, hat Tienekes Vater gesagt. Dann hat er mir einen Euro für ein Eis gegeben. Zur Belohnung. Und Tieneke auch, damit wir zusammen Eis kaufen gehen konnten. Ich hab Stracciatella-Nuss genommen und Tieneke Erdbeer-Zitrone.

Als ich nach Hause gekommen bin, hat Mama mich in den Arm genommen.

»Ich hab dich schon richtig vermisst!«, hat sie gesagt. »Du warst ja den ganzen Tag unterwegs!«

Dabei war ich schließlich nur in Tienekes Garten gewesen! Aber Mama hat gesagt, gefehlt habe ich ihr trotzdem. Das finde ich schön.

Dann ist Maus angerannt gekommen und hat mir sein Marmeladenglas mit dem neuen Tier gezeigt. Das neue Tier war eine

Schnecke. Aber keine von den braunen Nacktschnecken, vor denen ich mich so grusele. Es war eine niedliche Schnecke mit einem Haus auf dem Rücken.

»Die fliegt nicht weg«, hat er zufrieden gesagt. »Die darf Auslauf haben.«

»Das hast du aber klug ausgedacht, Maus«, habe ich gesagt. »Und wie heißt sie denn?«

Maus hat gesagt, zuerst hieß sie Samson. Aber jetzt heißt sie Tinky-Winky. Und dass sie ganz zahm ist.

Dann sind wir in unseren Garten gegangen und haben Tinky-Winky ein bisschen spazieren gehen lassen.

Am Himmel sind plötzlich lauter große, graue Wolken gewesen.

»Das gibt heute Nacht noch ein Gewitter«, hat Mama gesagt.

Da habe ich mich sehr gefreut. Tieneke und ich finden Gewitter nämlich so gut. Darum hab ich gehofft, dass Mama Recht hat.

13

Wir feiern ein Gewitterfest

Leider musste ich an dem Abend ganz normal um neun Uhr ins Bett. Obwohl doch Ferien waren.

Aber Mama hat gesagt, bald sind die vorbei, und da soll ich mich lieber langsam schon mal wieder an einen normalen Rhythmus gewöhnen.

Darum habe ich geschlafen, als das Gewitter angefangen hat, und habe gar nichts davon gemerkt.

Aber plötzlich hat es ein fürchterliches Krachen gegeben. Mein Fenster ist so laut zugeschlagen, dass ich davon aufgewacht bin. Das Fenster stand nämlich vorher auf Kipp.

Da habe ich den Donner gehört und wie der Wind an Mamas Wäschetrockenständer gerüttelt hat, der oben auf dem Balkon vor meinem Zimmer steht. Die Wäscheklammern haben richtig gescheppert.

Ich bin ganz schnell nach unten geflitzt. Im Wohnzimmer war noch Licht, und Mama und Papa haben Fernsehen geguckt.

»Ach du je, Tara, hat das Gewitter dich aufgeweckt?«, hat Mama gefragt. »Du hast doch keine Angst?«

Die Frage war aber natürlich nicht ernst gemeint. Mama weiß ja, dass ich ein Gewitter-Fan bin.

Darum hat sie mir auch erlaubt, dass ich das Licht im Wohnzimmer ausschalte, und dann haben wir uns alle drei ans Fenster gestellt und nach draußen geguckt. Das habe ich so gemütlich gefunden.

Ich finde die Blitze so aufregend und den Donner. Man stelle sich vor, dass die Natur das alles alleine macht! Das ist doch ganz unglaublich.

Ich habe auch gewusst, dass das Gewitter grade ganz dicht bei uns war, weil der Donner immer fast gleichzeitig mit dem Blitz gekommen ist. Man muss zählen, wie lange es zwischen einem

Blitz und seinem Donner dauert, dann kann man ausrechnen, wie weit das Gewitter weg ist. Es ist aber schwierig zu rechnen. Man muss mindestens in der dritten Klasse sein, sagt Mama. Aber jetzt war das Gewitter ja genau über uns, da mussten wir nicht rechnen. Und da ist es immer am spannendsten. Wir haben einen Blitzableiter, also ist es nicht gefährlich, sagt Papa. Auch wenn es ganz furchtbar laut donnert. Wenn man sich bei Gewitter vernünftig verhält, ist es überhaupt nicht gefährlich. Wir hatten gerade alle drei »Aaah!« gerufen, weil ein heller, langer Blitz den ganzen Weg vom Himmel bis zu den Bausandbergen heruntergezuckt war, da ist Maus ins Wohnzimmer gekommen.

»Das soll nicht so laut sein!«, hat er ganz müde gesagt. »Da kann ich nicht schlafen!«

Da hat Mama Maus auf den Arm genommen und er durfte mit uns rausgucken. Das habe ich ein bisschen schade gefunden. Manchmal habe ich Mama und Papa ganz gerne auch mal für mich alleine. Vor allem nachts, wenn Gewitter ist.

Maus ist auch ganz schnell richtig wach geworden, und dann hat er plötzlich angefangen zu heulen und immer gegen Mamas Schulter zu trommeln.

»Lass mich runter!«, hat er gebrüllt. »Tinky-Winky ist noch draußen!«

Mama hatte nämlich gesagt, dass Maus das Glas mit Tinky-Winky über Nacht auf der Terrasse lassen sollte. Für eine Schnecke ist es besser, wenn sie in der frischen Luft sein darf, hat Mama gesagt. Auch wenn sie in einem Marmeladenglas wohnt.

»Die hat aber Angst vor Gedonner!«, hat Maus geschrien.

»Tinky-Winky!«

Und er wollte nach draußen flitzen und sein Käfig-Glas holen. Aber Papa hat gesagt, nun soll Maus mal vernünftig sein. Tinky-Winky ist eine Schnecke, und alle Schnecken auf der ganzen Welt sind immer draußen, wenn es Gewitter gibt. »Die sind doch daran gewöhnt!«, hat Papa gesagt. Dabei hat er Maus festgehalten, damit der nicht die Terrassentür aufmachen sollte.

»Das sind ja *wilde* Schnecken!«, hat Maus geschrien. »Tinky-Winky ist doch ein Haustier!«

Da hat Mama geseufzt und gesagt, okay, wenn das Gewitter ein bisschen weitergezogen ist, darf Maus rausgehen und Tinky-Winky holen. So lange wird sie es schon aushalten. Aber jetzt ist es zu gefährlich.

Nach einer Weile konnte ich bis fünfzehn zählen, wenn es geblitzt hat. Dann ist erst der Donner gekommen. Da hat Mama gesagt, jetzt ist das Gewitter weit genug weg, jetzt dürfen wir auf die Terrasse und die Schnecke ins Haus holen.

Draußen konnte man immer noch die Blitze sehen, aber der Donner war ganz leise geworden. Dafür war der Regen aber umso lauter. Er ist so doll vom Himmel auf den Rasen gepladdert, dass die Tropfen richtig immer wieder ein kleines bisschen zurück in die Luft gehüpft sind.

Und gerade als ich gedacht habe, wie schade es ist, dass ich jetzt nicht mit Tieneke im Regen hüpfen kann, hat jemand im Dunkeln nach mir gerufen.

»Tara! Hallo!«, hat Tieneke gerufen. »Guckst du auch Gewitter?«

Und da stand Tieneke doch tatsächlich mit ihren Eltern in der

Terrassentür und hat das Gewitter angeguckt. Und einen Schlafanzug hatte sie auch an. Genau wie ich.

»Ich hab aufgepasst, dass Puschelchen und Wuschelchen nichts passiert!«, hat sie gerufen.

Ich hab gesagt, dass wir gerade Tinky-Winky reingeholt hatten. Da sind oben auf ihrem Balkon plötzlich Fritzi und Jul aufgetaucht. Sie haben ganz doll gewunken, und dann haben sie gerufen, dass sie das Gewitter von ihrem Zimmerfenster angeguckt hatten.

Und ich habe plötzlich eine Idee gehabt.

»Bitte, Papa!«, habe ich gesagt. »Dürfen wir unseren Badeanzug anziehen? Dürfen wir im Regen hüpfen?«

Das machen Fritzi und Tieneke und ich nämlich immer, und dann singen wir ganz laut. Ich hab dann immer so ein glückliches Regengefühl.

»Wo denkst du hin!«, hat Papa gesagt. »Irgendwann müssen Voisins auch mal ihre Ruhe haben.«

»Darfst du im Regen hüpfen, Tieneke?«, hab ich zu Tieneke rübergerufen. Ich hab gedacht, wenn *sie* darf, lässt Papa mich vielleicht doch.

Aber Tieneke hat zurückgerufen, dass sie auch nicht darf.

»Wegen Voisins!«, hat sie gerufen, und Mama hat ihre Hände vor das Gesicht geschlagen.

Fritzi und Jul hatten uns natürlich gehört, und sie haben gerufen, dass sie auch nicht rausdürfen.

Da ist bei Voisins im Wohnzimmer das Licht angegangen.

»Aber ich lade euch alle ein!«, hat Michael da von oben vom Balkon runtergeflüstert. »Zu einem Mitternachts-Gewitter-Drink!«

Mama hat geseufzt und gesagt, wenigstens kehrt so in den Gärten wieder Ruhe ein. Und außerdem sind ja noch Ferien, da kann man es schon mal erlauben.

Als wir bei Fritzi und Jul angekommen sind, haben sie schon mit Tieneke in der Küche gestanden. Für die Erwachsenen gab es im Wohnzimmer Bier und Selter, aber für die Kinder hatte Michael aus dem Keller Apfelsaft und O-Saft und Kirschsaft geholt. Daraus durften wir uns selber Cocktails mixen. Einen richtigen Mixer gab es nicht, es ging aber auch ganz gut in einer Tupper-Schüssel. Mit Deckel.

»Ich hoffe, es stört niemanden, dass nichts vorbereitet ist!«, hat Michael gesagt. »Aber ich konnte ja nicht ahnen, dass wir hier heute Nacht noch feiern würden!«

Ich finde es aber viel schöner, wenn nichts vorbereitet ist. Ich mag mein Getränk gerne selber zubereiten.

Wir haben lauter verschiedene Cocktails gemixt und wir durften sie sogar in schöne Sektgläser füllen. (Ich habe so viel getrunken, dass ich zu Hause gleich aufs Klo geflitzt bin. Und in der Nacht musste ich sogar noch mal hin.)

Jul hat uns beigebracht, wie man den Gläserrand mit Zitronenscheiben einreibt und in Zucker tunkt, dass es aussieht, als ob Schnee am Glas klebt. Da wollten sogar die Erwachsenen von unseren Cocktails trinken.

So ganz lange haben wir nicht gefeiert, weil die Erwachsenen

ja am nächsten Tag wieder arbeiten mussten. Und außerdem hatten wir auch keinen Saft mehr.

Aber ich finde trotzdem, dass es eine schöne Party war. Wenn ich erwachsen bin, feiere ich bei Gewitter immer eine Mitternachtsparty. Tieneke hat gesagt, das tut sie auch.

Als wir nach Hause gekommen sind, hat Mama zuallererst in Petjas Zimmer nachgeguckt. Petja hat in seinem Bett gelegen und tief und fest geschlafen, hat sie gesagt.

Man stelle sich vor, dass er das ganze schöne Gewitter verschlafen hat und die ganze Party! Petja hat einen gesunden Schlaf, hat Papa gesagt. Da müsste schon das Haus über ihm zusammenkrachen, damit er aufwacht.

Aber ich hoffe, dass unser Haus noch lange nicht zusammen-
kracht. Ich möchte noch lange, lange am Möwenweg wohnen.
Und beim nächsten Gewitter wecke ich Petja auf. Vielleicht
klingeln wir dann auch bei Vincent und Laurin. Die Jungs sollen schließlich auch mal was von einer schönen Gewitternacht
haben dürfen.
Als ich ins Bett gekrochen bin, habe ich gedacht, dass nun das
Gewitter leider vorbei ist und die Ferien sind leider auch bald
vorbei. Aber sonst gar nichts. Sonst geht bei uns im Möwenweg
alles so weiter wie immer, und das finde ich schön.
»Schlaf gut, Tarakind«, hat Mama gesagt und sich auf die Ze-
henspitzen gestellt, damit sie mir in meinem Hochbett einen
Gute-Nacht-Kuss geben konnte. »Und süße Träume.«
Die hab ich aber sowieso.